Experiências contemporâneas sobre a morte e o morrer

CIP-BRASIL. CATALOGAÇÃO NA FONTE
SINDICATO NACIONAL DOS EDITORES DE LIVROS, RJ

L994e

Luz, Rodrigo
Experiências contemporâneas sobre a morte e o morrer : o legado de Elisabeth Kübler-Ross para os nossos dias / Rodrigo Luz, Daniela Freitas Bastos. - São Paulo : Summus, 2019.
208 p.

Inclui bibliografia
ISBN 978-85-323-1134-4

1. Elisabeth Kübler-Ross, 1926-. 2. Morte - Aspectos psicológicos. I. Bastos, Daniela Freitas. II. Título.

19-57664 CDD: 155.937
CDU: 159.938.363-043.95

Vanessa Mafra Xavier Salgado - Bibliotecária - CRB-7/6644

Compre em lugar de fotocopiar.
Cada real que você dá por um livro recompensa seus autores
e os convida a produzir mais sobre o tema;
incentiva seus editores a encomendar, traduzir e publicar
outras obras sobre o assunto;
e paga aos livreiros por estocar e levar até você livros
para a sua informação e o seu entretenimento.
Cada real que você dá pela fotocópia não autorizada de um livro
financia o crime
e ajuda a matar a produção intelectual de seu país.

Experiências contemporâneas sobre a morte e o morrer

O legado de Elisabeth Kübler-Ross para os nossos dias

RODRIGO LUZ
DANIELA FREITAS BASTOS

EXPERIÊNCIAS CONTEMPORÂNEAS SOBRE A MORTE E O MORRER
O legado de Elisabeth Kübler-Ross para os nossos dias
Copyright © 2019 by Rodrigo Luz e Daniela Freitas Bastos
Direitos desta edição reservados por Summus Editorial

Editora executiva: **Soraia Bini Cury**
Assistente editorial: **Michelle Campos**
Capa: **Buono Disegno**
Imagem da capa: **Shutterstock**
Projeto gráfico: **Crayon Editorial**
Diagramação: **Santana**

Summus Editorial
Departamento editorial
Rua Itapicuru, 613 – 7º andar
05006-000 – São Paulo – SP
Fone: (11) 3872-3322
Fax: (11) 3872-7476
http://www.summus.com.br
e-mail: summus@summus.com.br

Atendimento ao consumidor
Summus Editorial
Fone: (11) 3865-9890

Vendas por atacado
Fone: (11) 3873-8638
Fax: (11) 3872-7476
e-mail: vendas@summus.com.br

Impresso no Brasil

Como é que os gansos sabem quando voar em direção ao sol? Quem diz a eles qual é a estação do ano? Como é que nós, seres humanos, sabemos quando chegou a hora de ir embora? Como os pássaros migratórios, nós sem dúvida temos também uma voz interior que, se soubermos ouvir, nos dirá com certeza quando partir para o desconhecido.

Elisabeth Kübler-Ross, *A roda da vida*

Sumário

Prefácio – A melhor amiga da morte 9
Introdução 17

Parte I – A revolução faz a revolucionária 23
1. Elisabeth Kübler-Ross: uma jornada de amor 25
2. Escutando as pessoas diante da morte 40
3. Os Seminários sobre a Morte e o Morrer 55
4. Os estágios do processo do morrer 61
   Choque e negação 64
   Esperança 66
   Raiva 68
   Negação parcial 70
   Barganha 72
   Depressão 73
   Luto antecipatório 75
   Aceitação 77
   Decatexia 77

**Parte II – O paciente como professor:
encontros, experiências e aprendizados** 79
5. Vivendo uma realidade inesperada 81
   Reproduzindo os Seminários sobre a Morte e o Morrer 83
   O paciente como professor 86

Transferência e contratransferência diante
da morte e do morrer 87

Parte III – Viver até morrer 95

6. Sentido de vida 97
7. Normalidade 108
8. Reconciliação 123
9. Compaixão 134
10. Cura 144
11. Legado 159
12. Tarefas inacabadas 169
13. Amor incondicional 175
14. Reações aos Seminários sobre a Morte e o Morrer ... 188
    Reações dos alunos 188
    Reações dos pacientes 192
15. Como cuidar de pessoas diante da morte:
    uma síntese pelo olhar do paciente e de sua família .. 194

Posfácio – Ensinar compaixão 199

Referências 205

Prefácio
A melhor amiga da morte

Àqueles que estão lendo este prefácio, expresso profundo pesar por não terem conhecido pessoalmente minha mãe, Elisabeth Kübler-Ross. Quaisquer palavras que eu escolha não começariam sequer a descrever o ser humano — e espiritual — que ela era. Há pouco tempo, encontrei uma foto inédita de Elisabeth ao lado de Madre Teresa, e percebi que essas duas mulheres tão poderosas tinham a mesma altura: 1,5 m. Teria a baixa estatura da minha mãe a levado a querer se tornar maior que a vida? Será que o fato de o pai dela sempre lhe ter dito que ela não conseguiria fazer nada de importante despertou nela o desejo de "mostrar para ele" que conseguiria? Quais-

quer que sejam as razões, Elisabeth não gostava de receber um "não" como resposta, sobretudo quando, defrontando-se com profundas injustiças, sentia-se compelida a desafiar o sistema.

Quando eu era ainda criança, minha mãe começou a viajar pelo mundo, dando palestras e workshops intitulados "Vida, Morte e Transição". Naquela época, eu costumava viajar com ela para lugares distantes, a fim de passar algum tempo ao seu lado. Do Zimbábue ao Egito, da Austrália ao Brasil, visitamos juntos cerca de 20 países ao longo dos anos, sem contar as muitas viagens que ela fez sozinha. Minha mãe não costumava impor limites ou restrições a nada que eu quisesse fazer, com raras exceções. Uma de suas poucas regras era que eu nunca assistisse às suas palestras. Ela dizia: "Você vai me deixar nervosa". Isso sempre me pareceu muito estranho, já que ela discursava para milhares de pessoas! Naturalmente, sendo uma criança curiosa, tive de desobedecer às suas ordens e encontrar meu caminho em meio a lugares desconhecidos em terras estrangeiras, tentando me virar com a língua local e sempre procurando o fundo da sala de aula. Eu me sentia ainda mais recompensado quando ela palestrava em países de língua inglesa, pois conseguia compreender as reações do público. Certa vez, na Nova Zelândia, lembro-me de um casal dizendo que minha mãe era uma "velha pata inteligente" — que elogio, no mínimo, interessante!

Ainda mais curioso do que aquilo que o público dizia sobre minha mãe era o que acontecia de maneira não verbal entre Elisabeth e a plateia. Imagine uma mulher pequena, vestindo jeans e camisa havaiana laranja, sentada no canto de uma mesinha no palco — essa era a minha mãe em uma de suas palestras. Havia uma lousa para que ela ilustrasse certas ideias. Logo que começou a falar, 2.500 pessoas ficaram absortas em cada palavra que ela dizia. Do ponto de vista da multidão, havia sempre uma espécie de silêncio barulhento, e naquele dia não foi diferente. Esse silêncio intenso é difícil de descrever em palavras, mas, se você apagasse as luzes, juraria que estava sozinho na sala com Elisabeth, porque ninguém se mexia nem emitia um único som.

Mais incrível foi o que aconteceu no palco naquele dia. Você pode dizer o que quiser a respeito dela: uma mulher intuitiva, com grande capacidade de desvendar a alma humana ou algo que o valha, mas Elisabeth tinha uma habilidade ímpar de "escutar". Ela costumava me dizer que sempre "farejava" a plateia para descobrir o que faria ou diria. Ao mesmo tempo que apresentava seus estudos ou sua vasta pesquisa clínica, ela examinava a plateia em busca de pessoas que parecessem precisar de ajuda com o próprio pesar ou com a experiência de morrer. Além disso, procurava indivíduos que continuassem sua missão de desenvolver *hospices*[1] em todo o mundo. Ela identificava essas pessoas na maioria das palestras e pedia que falassem com ela depois da apresentação.

A história favorita que ilustra a capacidade de Elisabeth de "escutar" me foi contada há poucos anos por um de seus melhores amigos, o pastor Mwalimu Imara, que a acompanhou nas suas rondas hospitalares nos anos 1960 — uma fonte privilegiada para descrever o início do movimento *hospice* nos Estados Unidos. Imagine que belo par faziam a minúscula Elisabeth e seu forte sotaque suíço e esse religioso alto e forte, quase um pantera negra! Certo dia, eles entraram no quarto de uma paciente com câncer no queixo, que não falava mais. Mwalimu me contou: "Sua mãe apenas se sentou e teve uma longa conversa com a mulher, embora ela não pudesse proferir uma única palavra". No final da conversa, Elisabeth pediu a Mwalimu que

---

1. Unidades especializadas em cuidados paliativos, dedicadas a cuidar de pessoas com doenças graves e de seus familiares.

buscasse uma maçã para a paciente, saindo do quarto sem nenhuma explicação. O pastor achou aquilo muito estranho, mas foi atrás da maçã — afinal, aquela era a famosa médica que conversava com os moribundos. Ao voltar para o quarto com a fruta, a paciente começou a chorar. Mwalimu pediu-lhe que escrevesse o que havia acontecido entre ela e Elisabeth. A mulher escreveu que era professora de escola primária e que queria receber mais uma maçã, como costumava receber de seus alunos nas aulas, antes de morrer. Como minha mãe sabia disso? Não estava escrito em nenhum lugar, a mulher não conseguia dizer uma única palavra, mas de alguma forma Elisabeth "escutara" essa informação apenas se sentando ao lado daquela paciente agonizante.

Tudo isso me transporta para o período em que Elisabeth começou a entrevistar pacientes em seus famosos seminários. A maioria das pessoas não sabe que sua primeira experiência nessa arena começou em 1963. Naquela época, ela fez amizade com outro psiquiatra de língua alemã, o dr. Sydney Margolin, do Hospital Universitário da Universidade do Colorado. Ele era pouquíssimo convencional — algo que Elisabeth admirava muito. Margolin estava saindo de licença e precisava de alguém que desse palestras em seu lugar por um breve período. Como o médico era conhecido por sua grande inteligência e pela perspicácia na área de pesquisa acadêmica, Elisabeth estava receosa de assumir seu lugar, mas no fim das contas aceitou o desafio. Ela escreveu em seu diário: "Ele é Moisés e eu sou seu Arão". Foi nessa época que Elisabeth descobriu que tinha talento para descrever as coisas de maneira simples e objetiva.

Buscando encontrar um assunto não convencional para as palestras, ela foi à biblioteca e pesquisou sobre a morte, depois de ser consultada por alguns estudantes que desejavam compreender as reações humanas diante desse fenômeno. Em 1963, os médicos estavam preocupados com a vida, não com a morte, e Elisabeth achava isso ridículo. Ela logo descobriu que todos os livros disponíveis sobre o tema o abordavam em termos de religião, doença e estatística, mas nenhum tratava dos aspectos psicológicos relativos aos pacientes em fase terminal. Assim, como não havia obras para consulta, minha mãe decidiu que seria mais fácil encontrar um paciente vivo que falasse sobre o tema. Logo ela encontrou no hospital uma jovem chamada Linda — que, aos 16 anos, estava morrendo de leucemia. Essa paciente ficou mais do que feliz em falar abertamente sobre sua morte iminente. Elisabeth queria entrevistá-la na frente dos alunos, mas não tinha certeza de como o público reagiria. Antes da entrevista, minha mãe não mencionou o estado de saúde de Linda. Então, quando chegou ao auditório, Linda descreveu com facilidade sua situação para os 80 estudantes ali presentes. Estes, porém, estavam longe de se sentir à vontade, e foram instados diversas vezes a participar, a ponto de Elisabeth escolher seis alunos e lhes pediu que se aproximassem e fizessem perguntas. Todos pareciam manter a compostura, até que Linda se cansou de falar e foi levada de volta para o quarto. Naquele momento, inúmeros estudantes desistiram de fingir que não demonstravam emoção. De fato, muitos estavam chocados, mas Elisabeth ficou encantada. Ela estava feliz por ter abalado a atitude de "sabe-tudo" desses alunos, convidando muitos deles a contemplar a própria mortalidade pela primeira vez na vida. Esse foi o começo de uma experiência de grande impacto, que minha mãe registrou em *Sobre a morte e o morrer* — obra que em 2019 completa 50 anos e continua inspirando pessoas de todos os continentes a se dedicar ao movimento *hospice*.

Em 21 de novembro de 1969, a revista *Life* publicou um artigo que transformaria a comunidade médica mundial. Tudo começou com um simples telefonema, que na época recebeu pouca atenção de Elisabeth. Seu livro acabara de ser lançado e ela estava bastante ocupada dando palestras. Relutantemente, concordou com a entrevista, sem contudo lhe dar grande importância. Minha mãe chegou ao hospital na quarta-feira seguinte e descobriu que o paciente idoso que ela planejara entrevistar havia morrido. Sem dizer aos repórteres da *Life* que não havia uma entrevista para registrar, ela pediu que montassem o equipamento enquanto percorria a ala de câncer em busca de um substituto. Em um dos quartos, deparou com uma paciente jovem e linda, de 22 anos, que estava morrendo de leucemia. Seu nome era Eva. Houve uma conexão imediata entre as duas mulheres. Elisabeth explicou o objetivo dos seminários, fez alguns contratos éticos e a jovem concordou em participar da experiência didática. Como aconteceu naquela primeira experiência de 1963 com Linda, Eva também estava ansiosa para aliviar sua alma de emoções que uma jovem tão próxima da morte naturalmente experimentaria, como frustração, raiva, medo e desespero.

E, como antes, o fato de a paciente ser tão jovem foi um completo choque para os estudantes de medicina, os profissionais de saúde e os demais presentes. Quando Eva entrou na sala de entrevistas, houve um suspiro coletivo: o público ficou perplexo ao ver uma jovem tão bela tão perto da morte. Durante toda a entrevista, Eva e Elisabeth mantiveram contato visual e todas as suas emoções e experiências vieram à tona — Eva brilhou e chorou. Muitos na plateia mal conseguiam esconder os sentimentos, apesar das tentativas de controlar sua "dignidade profissional". Depois da entrevista, minha mãe levou Eva para o seu quarto e voltou, como de hábito, para ajudar os alunos a identificar suas emoções diante da entrevista. Também como antes, eles só fizeram perguntas médicas sobre sinais vitais, prontuários e outras indagações pouco pessoais. Elisabeth percebeu que havia uma camada de negação profissional densa e frustrante; ficou patente que ninguém tratava Eva como uma pessoa que tem sentimentos. Isso era inaceitável para minha mãe, que percebeu que teria de mudar esse desequilíbrio desmedido no sistema médico. O resto pertence à história da medicina...

Quando Elisabeth era uma estudante de 12 anos na área rural da Suíça, escreveu um artigo afirmando que queria ser "pesquisadora e exploradora de fronteiras desconhecidas do conhecimento humano. Eu quero estudar a vida. Eu quero estudar a natureza do homem... Acima de tudo, eu gostaria de ser médica. Isso é o que mais quero fazer". Toda a vida de Elisabeth pareceu atraí-la para esse trabalho. Nos 25 anos seguintes após a publicação da matéria da *Life*, ela escreveu 23 livros, publicados em 35 idiomas, que venderam mais de 15 milhões de exemplares. E dedicou o resto da vida a apoiar populações marginalizadas na área médica: os pacientes gravemente enfermos, as pessoas com aids, os prisioneiros moribundos e, claro, as crianças próximas da morte.

Encorajo todos vocês a conhecer o legado compassivo de minha mãe, seus ensinamentos e sua missão de ajudar a todos a morrer em paz, com respeito, clareza e amor incondicional. Minha irmã Barbara e eu gostaríamos de agradecer ao nosso amigo Rodrigo Luz, presidente da Fundação Elisabeth Kübler-Ross Brasil, por seu incansável trabalho, e por dar continuidade ao legado da minha mãe, disseminando-o por esse país maravilhoso. Também queremos agradecer a Daniela Freitas Bastos por estar com Rodrigo nessa empreitada tão especial, e por partilhar com ele tantos sonhos e projetos. Queremos também agradecer a você, querido leitor, por ler esta obra, que trata de como lidar de maneira diferente com seus medos e preocupações diante da morte — e, assim, levar uma vida mais plena. Lembre-se: um dia você estará no fim da vida e precisará ser amado e tratado com compaixão, embora esse tema seja tão evitado em todo o mundo. Este livro certamente será seu grande amigo nessa jornada.

KEN ROSS
Presidente da Fundação Elisabeth Kübler-Ross USA

Introdução

Escutar as pessoas que defrontam com a morte é, para muitos de nós, um desafio. Mais do que apenas ouvir, escutar verdadeiramente exige uma disposição da alma e do coração para captar a essência mais autêntica dos seres humanos. Escutar é uma arte que exige a capacidade de ver cada pessoa como uma obra perfeita, que não precisa ser corrigida, mas, sim, compreendida e aceita. No entanto, escutar as pessoas diante da morte é um grande desafio porque, quando a morte se aproxima, muitos de nós experimentamos crises existenciais de grande valor. A morte rompe as portas e as janelas da nossa alma, abrindo sobretudo aqueles cômodos internos que deixamos a maior parte do tempo fechados — nossas tarefas inacabadas —, torcendo para que deixem de existir. Por vezes, a aproximação com a morte nos leva a perguntar sobre o sentido da vida, sobre o uso do tempo, sobre o propósito da nossa jornada, sobre os acordos com os outros que não nos fazem mais felizes. Talvez sejam essas algumas das razões pelas quais, no horizonte do nosso tempo histórico, a atitude dos seres humanos diante da morte seja marcada pela evitação e pela negação.

Quando nos aproximamos das pessoas diante da morte ou em luto, o maior risco que corremos é não nos darmos conta da nossa condição mortal e perecível. Em outras palavras: pode ser que nossas defesas, nossos hábitos cristalizados, nossas sombras internas não nos permitam perceber que talvez estejamos perdendo tempo demais com o que é mesquinho, transitório, pequeno. A morte do outro é como um despertador que soa bem alto, mas podemos estar distraídos a ponto de não ouvir. Há o risco de não nos darmos conta de que aquele relacionamento que temos mantido não nos faz sentir o sabor delicado do verdadeiro amor, que nossa rotina profissional não tem feito nossos olhos brilharem quando acordamos pela manhã. Por outro lado, se nos presenteamos com a oportunidade de escutar, podemos desenvolver a sabedoria, marcando a nossa vida pela aurora de um novo despertar.

Toda crise tem o poder de nos fazer afundar em um mar de angústia, de remorso ou dúvidas sobre o caminho traçado, mas também pode ser vista como uma oportunidade de crescimento. Este livro, portanto, é um convite para todos os que estão vivos. Ele é mais uma oportunidade de facilitar o despertar, ao propor reflexões sobre as lições das pessoas que se aproximam da morte, assim como de seus familiares enlutados e seus cuidadores, sejam profissionais ou não. Atenção, querido leitor, pois meditar sobre as lições aqui reunidas pode, literalmente, salvar a sua vida, mesmo que diante da morte.

Quando Elisabeth Kübler-Ross, renomada psiquiatra suíça radicada nos Estados Unidos, começou o seu trabalho com pessoas diante da morte, em meados de 1960, havia pouquíssima literatura especializada sobre o tema. Ela estava submersa numa cultura que desvalorizava a pessoa adoecida — que era colocada de lado para morrer, apresentando dores físicas sem cuidado e dores da alma sem abrigo. Elisabeth ficou tocada com essa situação, vista repetidamente em muitos hospitais de seu tempo, inclusive no hospital universitário onde ela foi professora do Departamento de Psiquiatria, em Chicago.

Então, ajudada por alunos do Seminário Teológico de Chicago, e com o apoio de estudantes de Medicina e Enfermagem da universidade, Elisabeth iniciou uma série de seminários, em 1965, a fim de permitir que as pessoas diante da morte e seus familiares fossem os professores. Elisabeth ensinava os alunos a conduzir conversas com essas pessoas, com finalidade exclusivamente didática. Ao fim das entrevistas, levava o paciente de volta para o seu leito e retornava à sala de entrevistas, com o intuito de propor um espaço de partilha sobre as reações emocionais de quem havia assistido ao diálogo. Ela acreditava que esse seria um meio poderoso de ajudar aquelas pessoas, fossem alunos da universidade ou profissionais de saúde, a se libertar do medo excessivo e da ansiedade e a cuidar do próprio luto. Desse modo, Elisabeth pensava que as pessoas estariam com um estado de alma verdadeiramente aberto para ajudar os pacientes com amor, com disponibilidade para escutá-los com os ouvidos do coração. Para ela, o melhor instrumento de trabalho do médico não eram os exames ou os aparelhos de que ele dispunha, mas uma mente ampla de conhecimentos e uma alma disposta a escutar sem julgamentos, sem impor verdades nem valores pessoais aos pacientes.

A primeira vez em que Elisabeth escreveu sobre a experiência das entrevistas com pessoas diante da morte foi em um artigo denominado "The dying patient as teacher: an experiment and an experience" ["O paciente terminal como professor: um experimento e uma experiência"], publicado no *The Chicago Theological Seminary Register*, de dezembro de 1966. [1] Meses mais tarde, o trabalho de Elisabeth ganhou destaque na *Life Magazine* [2], importante publicação para o público leigo de seu tempo. Dessa reportagem, surgiu o convite de um editor de Nova York para a publicação de um livro sobre as experiências que Elisabeth conduzia em seus seminários pedagógicos. Este livro ficou mundialmente conhecido como *Sobre a morte e o morrer*, cuja primeira edição foi lançada em março de 1969. [3] Hoje, a obra conta com traduções para mais de 30 línguas e continua sendo lida em todos os continentes, influenciando centenas de milhares de leitores a se aproximar de fato das pessoas diante da morte para ajudá-las a encontrar paz, em vez de abandono.

No decorrer dos anos, embora as publicações de qualidade tenham se multiplicado e passos decisivos tenham sido dados para a mudança de nossa cultura diante da morte, percebemos que diversos problemas enfrentados permanecem como um desafio para muitos, a saber: deve-se contar ou não a verdade para uma pessoa acerca do seu diagnóstico potencialmente fatal? De que maneira contar a verdade? Como ajudar alguém que está morrendo a encontrar a paz? Como cuidar considerando-se a singularidade de cada paciente? Como equilibrar a delicada arte da tomada de decisões médicas com a biografia da pessoa adoecida e sua família, de modo que o cuidado de cada paciente leve em conta sua essência, sua existência, sua fé em qualquer forma de beleza?

Para responder a essas perguntas, tivemos a iniciativa de reproduzir o mesmo projeto pedagógico iniciado por Elisabeth há 50 anos. Assim como ela, entrevistamos pessoas gravemente enfermas ou indivíduos enlutados, com finalidade didática, na presença de alunos e profissionais de saúde, a fim de permitir que eles partilhassem a sua experiência e ajudassem os assistentes a lidar com as próprias tarefas inacabadas. Acreditávamos que, ao analisar as próprias reações diante dessas entrevistas, os assistentes poderiam desenvolver recursos internos para cuidar, tornando-se mais disponíveis para essa tarefa com amor e profundidade. Essa experiência não só confirmou nossa hipótese inicial como, mais do que isso, nos surpreendeu.

Nosso desejo, ao replicar o método, foi tão somente recolocar o paciente no diálogo sobre o seu processo do morrer e de luto, enxergando-o como ser humano e permitindo que ele nos ensinasse o que faz sentido para ele, como vê a sua doença, que sentido atribui ao período de vida atual, quais são seus medos, suas esperanças. Também, que partilhasse conosco as lições que aprendeu na lida com seu adoecimento ou seu processo de luto. Pedimos, em última análise, que ele fosse o nosso professor. Como estamos atualmente à frente da direção da filial brasileira da Fundação Elisabeth Kübler-Ross, sentíamos que deveríamos levar adiante o trabalho de Elisabeth, mas sequer suspeitávamos do potencial dessa intervenção pedagógica ao recolocar o paciente diante da morte ou seu familiar num lugar privilegiado de fala.

Pretendíamos que essa experiência proporcionasse a todos os que participassem dela uma oportunidade de ventilar os medos, abordar as próprias preocupações a respeito da morte e do morrer, além de suas angústias e de seus lutos. No entanto, mais do que confirmar nossas expectativas iniciais, a experiência foi muito além do que o previsto, proporcionando transformações profundas nos assistentes, que por sua vez poderiam produzir grandes mudanças em seu ambiente de trabalho e na vida pessoal. Também os pacientes foram muito impactados pela experiência, pois, ao contar sua história e perceber que ela tinha grande utilidade para aqueles que os escutavam, sentiam-se dignos e úteis novamente. Com esses pacientes, aprendemos que morrer é um ato de entrega — o que nem sempre é fácil, mas pode ser um tempo de reconciliação, crescimento e aprendizado também.

Este livro não pretende, como também não pretendia ser a obra inicial de Elisabeth, um estudo completo sobre a psicologia das pessoas com doenças graves, nem é um manual de psicoterapia ou de aconselhamento psicológico. Ele apenas reflete nossa experiência de escutar, na contemporaneidade, os pacientes diante da morte e seus familiares, as lições aprendidas e suas implicações para o cuidado com essas pessoas. O livro é um baú de tesouros sobre a vida, muito mais do que sobre a morte.

Registramos aqui as histórias que acompanhamos de pessoas diante da morte e seus familiares enlutados, levando-se em conta os cuidados éticos necessários. Em vários momentos, criamos substitutos simbólicos ou afastamos as fronteiras entre as histórias de várias pessoas, alteramos nomes, profissões ou outros elementos que, por uma razão ou outra, devem permanecer no anonimato. As entrevistas foram gravadas e transcritas com muito cuidado, mas lamentamos o fato de que certos elementos, como o choro, o silêncio e a partilha de risos profundamente autênticos, não possam estar presentes no texto escrito. O silêncio que vai além das palavras e a linguagem da alma, que se expressa no corpo e no olhar de cada um, dificilmente podem ser descritos.

Desejamos que este livro encoraje cada leitor a se aproximar das pessoas diante da morte ou em luto, estando atento às próprias reações emocionais. É de esperar que outros possam estar abertos para escutar as experiências singulares de cada indivíduo, ao comunicar suas esperanças, expectativas e frustrações, e, com base nisso, vivenciar uma experiência gratificante para ambos. Aqueles que estiverem determinados a isso poderão enriquecer sua existência, talvez mais conscientes do tempo limitado de que dispõem — e, portanto, com mais condições de viver com amor até o último dia da vida.

Parte I
A revolução faz a revolucionária

1.
Elisabeth Kübler-Ross: uma jornada de amor

> [...] o amor não escolhe coisa alguma para si mesmo, apenas procura tornar possíveis as escolhas do ser amado.
>
> Neale Donald Walsh, *Conversations with God*

Nascida em 1926, num pequeno vilarejo na Suíça, Elisabeth veio ao mundo com suas duas irmãs gêmeas, Erika e Eva, embora Elisabeth fosse a menor e a mais frágil das três. Filha de um casal de suíços da classe média, Elisabeth pôde receber uma boa educação, em um ambiente muito caloroso. No entanto, à medida que crescia, o que tirou a paz de Elisabeth foi o fato de suas irmãs gêmeas serem tratadas da mesma forma que ela, sem que suas singularidades fossem reconhecidas e respeitadas. Na escola, as irmãs Kübler recebiam as mesmas notas; em casa, eram vestidas da mesma maneira; mais tarde, eram confundidas até mesmo pelos namorados. Para Elisabeth, tudo isso era assustador.

Embora durante a infância as trigêmeas da família Kübler aproveitassem as vantagens da semelhança entre elas, não tardou para que as desvantagens se tornassem mais e mais claras. Era desafiador ao extremo, e muitas vezes cansativo para as irmãs, ter de lembrar a todos com quem conviviam quais eram as preferências de cada uma em suas brincadeiras; quais eram as diferenças que as tornavam sujeitos singulares; que preocupações e sonhos caracterizavam cada uma delas e as diferenciavam umas das outras.

Quando Elisabeth tinha 5 anos, contraiu uma grave pneumonia, sendo mantida em isolamento em um hospital infantil por várias semanas. A menina só podia ver os pais através de uma divisória de vidro. Não havia voz familiar, toque, odor, nem mesmo um brinquedo familiar: essa experiência marcou Elisabeth para sempre, de modo que uma de suas lutas foi para que as pessoas adoecidas vivessem em um ambiente de amorosidade e normalidade, tanto quanto possível. Em sua autobiografia, intitulada *A roda da vida* [4], Elisabeth descreveu uma situação difícil vivida por ela nessa mesma internação: afastada dos pais por uma redoma de vidro, ansiava desesperadamente por calor humano. Seu único passatempo foi, por muito tempo, puxar a pele morta dos lábios. A médica que cuidava dela ficou furiosa, mas era a única coisa que Elisabeth podia fazer para receber algum tipo de calor humano. Dias depois da internação, acostumou-se a esfregar os próprios pés e as pernas para sentir o toque reconfortante da pele humana. Foi nessa dolorosa experiência que a menina Elisabeth teve seu primeiro encontro com a morte: outra paciente, que regulava em idade com Elisabeth, também estava isolada por vidros — nesse caso, uma redoma. Certo dia, a garota disse que Elisabeth sobreviveria, enquanto ela própria iria para o céu. No dia seguinte a esse diálogo, Elisabeth acordou e percebeu que a menina já não estava mais em sua cama e a redoma de vidro havia sido retirada.

Desde cedo, Elisabeth guardava uma profunda admiração por Albert Schweitzer, o médico humanitário que recebera o Nobel da Paz por seu trabalho com pessoas em situação de exclusão social e extrema pobreza, na África setentrional. Essa sempre foi uma importante referência para Elisabeth, que inclusive cultivava o desejo de seguir o mesmo caminho que ele. Elisabeth repousava em um sonho de se dedicar à medicina humanitária, de cuidar dos excluídos e das minorias. Na escola, a pequena Elisabeth cuidava das crianças excluídas, enfrentava os que tentavam oprimi-las — e sofreu inúmeras represálias por isso. Na medida em que crescia, desenvolveu um profundo amor pela humanidade, e a medicina foi o caminho eleito para continuar a exercer sua vocação para cuidar daqueles que eram invisibilizados. Uma menina que havia provado o sabor amargo de ser confundida com suas irmãs, de não ser reconhecida em sua individualidade, tornou-se uma mulher que lutava pelo respeito amoroso às particularidades humanas. Foi isso que ela fez quando iniciou seu trabalho com pessoas diante da morte: captar a essência única de cada paciente e cuidar dele levando em conta essa singularidade.

Muitos anos antes de iniciar seu trabalho com pacientes em fim da vida, Elisabeth fez uma série de viagens humanitárias para ajudar a reconstruir vilarejos europeus que haviam sido destruídos pela Segunda Guerra Mundial. Ainda muito jovem, contrariou o desejo do pai e foi para o vilarejo de Écurcey — comuna francesa que havia sido praticamente destruída pelos alemães. Depois de se voluntariar numa organização internacional para a paz mundial, Elisabeth seguiu a pé e também de carona por vários vilarejos, a fim de ajudar em sua reconstrução. Passou dias seguidos envolvida com voluntários de diversas nacionalidades, erguendo paredes e reconstruindo vilas inteiras com a argamassa da esperança. Durante o dia, muito trabalho; à noite, Elisabeth era embalada por conversas, risadas e boa música.

Numa dessas localidades, Elisabeth soube que alguns nazistas estavam sendo mantidos presos no porão de uma igreja local. Ela percebeu que muitos deles eram retirados durante o dia para caminhar ao sol e que o número deles decrescia dia a dia, porque sempre voltavam para a igreja um ou dois a menos. A jovem Elisabeth, sempre inquieta, procurou entender o motivo daquelas baixas e descobriu que os nazistas eram colocados para caminhar pelo terreno, a fim de que fossem descobertas minas escondidas. Dizia-se que era para que eles provassem do próprio veneno. Elisabeth indignou-se quando descobriu isso e, certa manhã, ameaçou ela própria caminhar à frente dos alemães. Uma jovem mulher suíça explodindo nessa situação poderia produzir publicidade negativa para os sobreviventes do nazismo, tornando-se um verdadeiro escândalo para aquela região. Então, Elisabeth conseguiu que os presos recebessem tratamento humano e digno. Desde essa época, ela ficou conhecida por sua implacável teimosia quando o assunto era cuidar das pessoas em sofrimento. Nazistas ou não, Elisabeth acreditava que se tratava de pessoas, sendo o amor o único tratamento possível para elas, independentemente do que tivessem feito. Não um amor piegas, tolo, mas lúcido e comprometido com o cuidado de todos os seres humanos.

Uma experiência que tocou Elisabeth foi a visita que ela fez aos campos de concentração nazistas. Antes de deixar a Polônia, em sua viagem de reconstrução da Europa, ela participou de uma cerimônia de abertura de uma escola que ajudou a construir. Logo depois, viajou para Majdanek, uma das famosas usinas da morte de Hitler. Elisabeth viu naquelas construções os vestígios de um passado pavoroso, com arame farpado, torres de guarda e as muitas fileiras de alojamentos onde homens, mulheres, crianças e famílias inteiras haviam passado seus últimos dias e horas.

Depois de perambular pelo campo de concentração, Elisabeth chegou aos alojamentos e percebeu que nas paredes estavam gravados nomes, figuras, iniciais e muitos desenhos. O mais frequente dos desenhos eram as borboletas e, ao que tudo indica, as pessoas tinham usado as próprias unhas para desenhá-las. Anos mais tarde, trabalhando com crianças enfermas, que também desenhavam borboletas espontaneamente, Elisabeth se deu conta de que esses insetos representavam não apenas um forte símbolo de transformação, mas a aspiração da alma à liberdade, a paz espiritual e a conexão com o sagrado, em meio às tormentas mais difíceis. Graças a Elisabeth, a borboleta ficou conhecida no mundo todo como um dos símbolos do movimento de *hospices* e de cuidados paliativos.

Durante a visita ao campo, Elisabeth conheceu Golda, judia sobrevivente do regime nazista que perdera toda a família numa câmara de gás. Depois de conversar longamente com a nova amiga, Elisabeth se deu conta de que, embora os nazistas fossem responsáveis por um crime bárbaro contra a humanidade, todos nós temos dentro de nós um Hitler em potencial. Não é por outra razão que Elisabeth disse, em mais de uma ocasião, que seu trabalho era garantir que nas próximas gerações houvesse mais *Madres Teresas*, e menos *Hitlers*.

Depois dessa longa viagem humanitária, Elisabeth voltou para casa, onde foi recebida com uma ordem do pai para que se dedicasse ao trabalho de secretária em seus negócios e abandonasse a ideia de estudar Medicina. De duas, uma: ou Elisabeth saía de casa ou fazia a vontade do pai e seguia a profissão que ele lhe havia imposto. Obstinada, Elisabeth se negou a obedecer ao pai. Ela não teve muitas dúvidas: disse que não aceitaria o emprego. O pai, então, a expulsou de casa, conseguindo para ela um emprego como faxineira de um local muito simples — trabalho que Elisabeth abraçou com a esperança de um futuro melhor. Depois disso, ela conseguiu emprego como ajudante de um professor da faculdade de Medicina de Zurique, tornando-se sua assistente em um projeto voltado para o cuidado de prostitutas vítimas da sífilis.

Algum tempo depois, Elisabeth foi aprovada na Escola de Medicina de Zurique, onde conheceu Emmanuel Ross, jovem que o coração de Elisabeth escolheu no primeiro dia de aulas.

Na época, Elisabeth profetizou para uma colega de turma: "Vou me casar com ele" — o que de fato aconteceu alguns anos mais tarde, depois que os dois se graduaram.

Em 1958, eles se casaram. Logo Elisabeth iniciou sua atuação no campo, ou seja, no interior da Suíça, onde pôde se aproximar dos pacientes de forma muito especial. Ali, ela já passava horas, como médica, conversando e escutando pacientes gravemente enfermos, sendo despertada para o trabalho pelo qual viria a se notabilizar anos mais tarde. Graças a algumas perdas gestacionais, Elisabeth viveu momentos difíceis, até que nasceram seus filhos, Kenneth e Barbara.

Algum tempo depois, a família Kübler-Ross se mudou para os Estados Unidos, mais precisamente para o estado de Illinois, onde Emmanuel iniciaria uma especialização em neuropatologia. Depois de algum tempo se perguntando se valeria a pena tornar-se dona de casa para cuidar dos filhos, Elisabeth decidiu continuar sua formação como médica. No entanto, em 1962, ela foi eleita para uma bolsa do Departamento de Psiquiatria na Escola de Medicina da Universidade do Colorado, em Denver, mudando-se no ano seguinte para o Hospital Geral do Colorado. Nesse período, Elisabeth realizou um intenso treinamento em psicanálise tradicional e, depois, em psicologia analítica.

No outono de 1964, ela assumiu o cargo de professora de Psiquiatria da Universidade de Chicago. Um ano depois, foi consultada por quatro estudantes do Seminário Teológico, que desejavam compreender como o homem lidava com as maiores crises da vida. Era unânime: todos queriam estudar as reações do homem diante da morte, por compreender que a confrontação com a finitude seria a maior crise da vida. Então, Elisabeth propôs conduzir algumas entrevistas com pessoas diante da morte, de modo que se pudessem conhecer seus medos, ansiedades, esperanças e principais desafios na lida com um grande adoecimento e a confrontação com a finitude.

Nos anos que se seguiram, Elisabeth conduziu seus famosos seminários, que mudaram a face dos cuidados em saúde e produziram um grande impacto na vida de milhões de pessoas que se defrontam com a possibilidade ou a realidade de uma morte próxima. Ela trabalhou em grandes hospitais em Nova York, Colorado e Chicago, e ficou chocada com o tratamento padrão dado aos pacientes que estavam morrendo. Ao contrário de seus colegas, fazia questão de se sentar com os pacientes diante da morte, ouvindo-os com atenção quando eles abriam o coração. Enquanto criava dois filhos pequenos, Elisabeth começou a realizar seus seminários com pacientes gravemente enfermos que falavam sobre suas experiências acerca do seu morrer. O objetivo da médica era romper a camada de negação profissional que proibia os pacientes de transmitir suas preocupações mais íntimas.

O trabalho decorrente desses seminários foi cuidadosamente compilado, dando origem ao livro *Sobre a morte e o morrer*, publicado em 1969. A obra gerou grande impacto na literatura médica de seu tempo. Nela, Elisabeth descreveu o seu modelo de estágios do processo do morrer. Embora este fosse um dos primeiros esquemas teóricos sobre o tema, ele foi interpretado de maneira equivocada no decorrer dos anos como um modelo fechado de estágios, que necessariamente se sucederiam do diagnóstico até a morte. Em mais de uma ocasião vimos Elisabeth afirmando que, se soubesse que tomariam o modelo que ela criou como uma receita infalível, nunca o teria escrito. Um apoio fundamental para a elaboração dos estágios diante da morte veio da psicanalista Anna Freud — filha de Freud, o pai da psicanálise —, que ajudou Elisabeth na produção teórica e conceitual da obra.

Apesar das incompreensões acerca de seu modelo sobre o processo do morrer, Elisabeth possibilitou uma ampla discussão em ambiente leigo e profissional sobre as necessidades das pessoas diante da morte. Sem o seu trabalho pioneiro, a difusão da tanatologia e dos cuidados paliativos teria sofrido grande atraso, não apenas nos Estados Unidos como em todo o mundo. No decorrer dos anos, Elisabeth publicou 26 obras, ofereceu milhares de conferências e atividades educacionais ao redor do mundo, colaborou para a abertura de mais de 100 *hospices* em todos os continentes e se tornou uma das mulheres mais reconhecidas do planeta — seja pelo carisma e pela inteligência fora do comum, seja pelo seu trabalho humanitário de assistência e apoio a pessoas gravemente enfermas e a seus familiares.

A sofisticação do trabalho de Elisabeth foi reconhecer a singularidade de cada paciente e propor um tratamento ímpar. Muita gente a critica por ela ter, supostamente, proposto um modelo rígido para o processo de morrer, conforme discutiremos no conjunto deste livro. Mas Elisabeth nasceu como trigêmea e foi tratada, em grande parte da vida, como se fosse idêntica às suas irmãs, o que a enfurecia. Ela fez um esforço sobre-humano para se diferenciar das irmãs, pois queria ser reconhecida em sua singularidade. Esse mesmo esforço moveu Elisabeth quando ela deparou com pessoas diante da morte: reconhecê-las em sua singularidade radical e propor um tratamento que levasse em conta seus valores e sua história de vida. Isso não é revolucionário?

Ainda na década de 1960, Cicely Saunders, pioneira do movimento de cuidados paliativos na Inglaterra, conseguiu se encontrar com Elisabeth Kübler-Ross, graças a Colin Murray Parkes, autor de obras renomadas sobre o trabalho com pessoas enlutadas. Colin havia se familiarizado com Elisabeth enquanto trabalhava nos Estados Unidos, e ansiava pelo encontro das duas. Este se deu em abril de 1966, no Instituto de Ciências da Universidade de Yale, durante evento intitulado "Care of the Dying", organizado por Florence Wald — importante pioneira do movimento de cuidados paliativos nos Estados Unidos. Sobre esse encontro com Elisabeth Kübler-Ross, Cicely Saunders registou, num dos seus últimos escritos antes de morrer, publicado em 2005:

> Conheci Elisabeth Kübler-Ross em 1966, quando fui professora visitante do "Care of the Dying", na Escola de Enfermagem da Universidade de Yale. Durante o tempo em que estive por lá, Elisabeth integrou um seminário organizado pela então reitora, Florence Wald. Entre os participantes, também se incluía o dr. Colin Murray Parkes, psiquiatra social do Centro de Relações Humanas de Tavistock, em Londres, com o qual tive um contato inicial em virtude de seu trabalho sobre o luto. [...] Naquele seminário, apresentei minha descrição da dor total, na qual explicitei toda a experiência do paciente, incluindo componentes físicos, emocionais, sociais (ou familiares) e espirituais. Esse conceito, apresentado pela primeira vez em 1964, baseou-se em minha bolsa de sete anos (1958-65) e na pesquisa sobre a natureza e a gestão da dor terminal. [5]

Esse encontro, do qual participaram diversos pioneiros dos cuidados paliativos mundiais, foi histórico para a constituição do movimento *hospice*. Havia um terreno preparado para as mudanças, porque se instalava uma grande insatisfação com a forma pela qual as pessoas estavam morrendo, com grande isolamento e profundo sofrimento. Buscava-se desenvolver o campo, embora houvesse divergências sobre quais deveriam ser os passos para o desenvolvimento do movimento *hospice*. Muitas pessoas apostaram que o caminho deveria ser o de trabalhar para a criação de unidades especializadas, com serviços especiais para cuidar de pacientes terminais e de suas famílias. Porém, Elisabeth considerava que, antes das estruturas físicas, era imprescindível ajudar as pessoas a se familiarizar com a temática, lidar com seus medos e lutos, resolver suas tarefas inacabadas e desenvolver as habilidades humanas e técnicas para esse trabalho. O principal, para Elisabeth, era ajudar as pessoas diante da morte, onde quer que elas estivessem. Ela acreditava ser fundamental discutir o tema da morte e do morrer com toda a sociedade, produzindo-se uma reforma cultural ampla; somente assim as mudanças mais importantes aconteceriam.

> Compartilhando meu trabalho com Elisabeth várias vezes nos anos seguintes, fiquei deveras impressionada com a forma como ela ensinava de maneira carismática e inspiradora. Ela capacitou tanto o público profissional quanto o leigo a entender que a morte e o morrer poderiam ser enfrentados e discutidos sem medo, além de dar às pessoas em fim de vida a chance de encontrar crescimento pessoal e reconciliação familiar. Seus livros se tornaram não apenas uma introdução a novas ideias para enfermeiras, assistentes sociais, psiquiatras (e médicos em geral, posteriormente) — trazendo-os à beira do leito com uma nova confiança —, mas também *best-sellers* que instigaram uma mudança notável nas atitudes diante da morte no público. A mudança social fundamental não acontece até que a sociedade esteja preparada para isso. O trabalho de Elisabeth foi fundamental na preparação do cenário mundial para aceitar essa mudança. [5]

Diversas foram as contribuições construídas no decorrer das décadas, novas lideranças surgiram, serviços estruturados se consolidaram com imenso sacrifício em todo o mundo, mas poucas obras tiveram o alcance de *Sobre a morte e o morrer* na disseminação da filosofia de cuidados preconizada pelo movimento *hospice* e pela moderna tanatologia.

Quando *Sobre a morte e o morrer* foi publicado e traduzido para diversas línguas, a filosofia de cuidados que defendemos tornou-se disponível para um número incalculável de pessoas de diferentes culturas e recursos que desejavam entrar nesse campo gratificante da medicina. A incrível capacidade de Elisabeth para inspirar a aceitação pública e sua habilidade para fundamentar o desenvolvimento da filosofia *hospice* poderia ser comparada com duas lâminas de uma tesoura, capazes de cortar, simultaneamente, os laços de isolamento e a dor dos pacientes e de suas famílias. Nosso trabalho foi complementar, pois construímos nossas ideias com base em fortes *insights* de nossos antecessores. Até o final de sua vida bem vivida, Elisabeth trabalhou incansavelmente, e inúmeras pessoas têm com ela uma imensa dívida. Ela mostrou como sua abordagem direta poderia ser traduzida em todo o mundo. As histórias e as gravações de seus pacientes levaram pessoas de todas as profissões, envolvidas com as necessidades dos que estão morrendo, a combinar a ciência com a arte do cuidado e a importar-se com os que sofrem. [5]

Cicely destacava a primordialidade do surgimento de pesquisas ao redor de todo o mundo no que tange ao desenvolvimento técnico-científico dos cuidados paliativos, mas também observava a importância do desenvolvimento das competências humanas necessárias à prestação desse tipo especial de cuidados. Acerca desse ponto tão fundamental, Cicely assim se referiu ao trabalho de Elisabeth:

Outros encontrarão novas maneiras de lidar com os muitos problemas não resolvidos, que exigem novas pesquisas para a compreensão psicológica e o controle dos sintomas. Aqueles que hoje trabalham no campo continuam a desenvolver o conhecimento, que se espalhou tão rápido nas últimas décadas. Porém, jamais poderemos esquecer que só com os próprios pacientes podemos aprender sobre a morte e o morrer. Não devemos nos esquecer de ouvir nossos pacientes e suas famílias e dar a eles seu verdadeiro lugar na sociedade. O trabalho de Elisabeth, juntamente com todo o esforço contínuo realizado pelas equipes de cuidados paliativos [...] em todo o mundo, é uma saudação à nossa humanidade comum — e um legado que permanecerá. [5]

Na década de 1980, Elisabeth se dedicou ao cuidado de pessoas com aids, que morriam em um clima de preconceito e abandono, sendo excluídas da sociedade com a "justificativa" de que sofriam da "doença gay". Elisabeth passou a cuidar delas e a realizar workshops específicos para pacientes e seus familiares. O objetivo era lidar com a crescente onda de preconceito e ajudá-los a viver com verdade e amor até seus últimos dias. No decorrer dos anos, Elisabeth tomou para si a tarefa de cuidar de adultos com aids até que morressem e, depois, dos filhos deles, até que as crianças também morressem ou fossem adotadas. O fato é que, assim que Elisabeth descobriu que muitas crianças nessas condições estavam sendo abandonadas em hospitais americanos, liderou uma campanha nacional de adoção, prometendo apoio e orientação àqueles que resolvessem acolher aquelas crianças. Hoje, são incontáveis os adultos que foram adotados nesse contexto, quando ainda eram crianças, por influência de Elisabeth Kübler-Ross.

No entanto, Elisabeth desejava fazer mais. Percebendo que a aids estava dizimando inúmeras vidas, sentiu que precisava de um local especial para cuidar dos que haviam contraído a doença — que, naquela época, morriam muito cedo. Então, Elisabeth decidiu abrir um *hospice* em sua fazenda, na Virgínia, publicando amplos anúncios do seu projeto em seu periódico mensal. Como já colaborara para a abertura de mais de 100 *hospices* ao redor do mundo, direta ou indiretamente, sentia que poderia fazer alguma coisa em sua comunidade. Porém, algum tempo antes da abertura oficial do *hospice*, enquanto Elisabeth estava fora da cidade, incendiaram a sua casa, sem que nada restasse. Parte da comunidade local, religiosa e dogmática ao extremo, já havia prometido retaliações, pois não queria que ali fosse o reduto de pessoas com a "doença gay". Assim, Elisabeth perdeu a maioria maciça dos seus pertences pessoais, de suas anotações clínicas, de trabalhos ainda não publicados.

O dia do incêndio foi de grande pesar para Elisabeth, que se viu confrontada com a dor da perda de forma muito intensa. Ela estava com a roupa do corpo e alguns pertences pessoais, e naquele momento se lembrou de Golda, a jovem sobrevivente dos campos de concentração que perdera tudo, inclusive a família, numa câmara de gás. Elisabeth se lembrou de que todos têm dentro de si um Hitler em potencial, mas recordou também o seu compromisso com o amor, com o surgimento de novas Madres Teresas, e não com o ódio e a eliminação das minorias. Decidiu que não deixaria seu Hitler em potencial falar mais alto e, mais uma vez, resolveu crescer em meio às adversidades. Assim, o caminho pareceu óbvio. Elisabeth se ergue e, dois dias depois, começa a fazer compras para recomeçar.

Durante toda a vida, Elisabeth defendeu os grupos minoritários, entre eles os índios, os pacientes gravemente enfermos, as pessoas com aids, a população LGBTQ (lésbicas, gays, bissexuais, travestis, transexuais, transgêneros, *queer*), a população carcerária, os negros etc. Um caso muito impactante, registrado nas obras de Elisabeth, refere-se a um jovem homossexual ao fim da vida, que não falava com o pai havia anos e contou com a ajuda de Elisabeth para se conciliar com o genitor. Elisabeth também militava pela preservação das reservas indígenas e da natureza, razão pela qual ela era amada pelos nativos americanos, que a tinham como um ícone de proteção de seus direitos. Ela era tão adorada por eles que, quando ficou muito doente, os índios foram fazer um ritual em seu benefício, o que simplesmente a encantou.

Um fato interessante é que o primeiro workshop de Elisabeth na África do Sul só se deu em 1994, quando foi obtida autorização para que negros e brancos estivessem sob o mesmo teto. Elisabeth negou todos os convites anteriores. Ela também trabalhou em prisões, manifestando-se contra a tortura e realizando ações para que os presos se sentissem amados e pudessem resolver suas tarefas inacabadas. Elisabeth acreditava no amor incondicional, rechaçando a tortura em qualquer ocasião e oferecendo a sua presença compassiva nos cenários de exclusão social e abandono, a fim de proteger as minorias.

Elisabeth recebeu diversos prêmios, títulos de doutora *honoris causa* e menções honrosas, fosse de associações americanas ou de organismos internacionais que consideravam seu trabalho uma importante contribuição à humanidade. Ela vivenciou diversos problemas de saúde, sobretudo relacionados com os seis acidentes vasculares encefálicos que sofreu e que foram imobilizando-a lentamente por um período aproximado de nove anos. Mais uma vez, Elisabeth se viu confrontada com um convite da vida para ser porta-voz de uma mensagem, mas agora em sua própria pele. Era comum que as pessoas que se aproximassem de Elisabeth a ouvissem dizer que estava pronta para morrer, mas o incidente final não acontecia.

Então, um dia, enquanto conversava com Ken, seu filho mais velho, Elisabeth disse que não queria mais morrer. Era a primeira vez que ela dizia isso, pois fora aquela a primeira vez que ela se permitira receber o amor dos que a circundavam. Elisabeth percebeu que a dificuldade que vivia era, na verdade, uma oportunidade. Uma mulher que deu amor, que passou centenas de horas em aviões, que ofereceu milhares de conferências e workshops, atendeu milhares de pessoas diante da morte, agora estava pronta para receber amor, para aprender a ser cuidada, dispondo-se a ser tocada em seu coração. Essa foi a última lição de Elisabeth, e pouco tempo depois de aprender isso, em 14 de agosto de 2004, ela dava o último suspiro, na presença dos seus familiares amados.

O legado de Elisabeth Kübler-Ross foi um marco para a humanidade, pois ela influenciou grandemente o mundo contemporâneo nos temas da morte e do morrer. Diversos ícones de nossa cultura foram tocados por ela e lamentaram a sua morte. Cicely Saunders, pouco antes de morrer, escreveu um terno relato sobre Elisabeth, considerando que o trabalho de ambas foi complementar. Balfour Mount, fundador do movimento *hospice* no Canadá, descreve como a obra inaugural de Elisabeth, *Sobre a morte e o morrer*, foi indispensável para que ele próprio se interessasse pelo tema. Florence Wald, pioneira do mesmo movimento nos Estados Unidos, descreveu uma entrevista que Elisabeth conduziu com um paciente gravemente enfermo, diante de uma plateia, numa importante universidade americana, e como essa atitude revolucionária de colocar o paciente no centro da discussão tanto chocava como provocava grande admiração. Florence destacou ainda que Elisabeth acreditava ser importante que os pacientes tivessem a palavra final, e não os profissionais de saúde.

Houve manifestações de pesar por parte da entrevistadora e jornalista americana Oprah Winfrey, mas também de ícones como Muhammad Ali, o grande esportista, entre diversos reis, príncipes, chefes de estado e de governo, mas também de pacientes, familiares e leitores anônimos, mas igualmente assíduos de sua obra. Elisabeth deixou sua memória gravada na alma de todos nós, demonstrando que seu legado, além de perene, é um bem universal dos mais especiais. No próximo capítulo, conheceremos mais em detalhe o trabalho de escuta com pessoas diante da morte e as principais lições deixadas por Elisabeth nesse sentido.

2.
Escutando as pessoas diante da morte

> *Não é bastante não ser cego para ver as árvores e as flores. É preciso também não ter filosofia nenhuma.*
> Alberto Caeiro, *Poemas inconjuntos*

A experiência de se aproximar da própria morte ou de estar presente à morte de uma pessoa querida é um dos acontecimentos dos mais íntimos, e por isso exige muito respeito. É mais íntimo do que assistir a um pedido de casamento, porque nesse caso trata-se de duas pessoas que se unem, enquanto morrer é um ato individual. Não se pode morrer com outras pessoas, ainda que haja alguém morrendo ao seu lado, porque há um momento em que se deve seguir essa jornada solitariamente. Talvez esse seja o ponto alto da jornada em direção à morte: é preciso entregar-se ao desconhecido e seguir em frente com os olhos do coração e da alma. Trata-se de um exercício de abnegação e entrega, de realização espiritual plena, porque aquele que está morrendo deve desprender-se, aos poucos, de tudo e de todos, a seu tempo. Elisabeth chamou esse processo de *decatexia*: aquele que está morrendo precisa aos poucos desinvestir emocionalmente da vida, interiorizando-se cada vez mais.

É aí que o processo do morrer passa a ser muito íntimo: se aquele que adoeceu tiver sorte, é provável que algumas pessoas estejam disponíveis para acompanhá-lo nessa jornada da vida para a morte. Haverá sintomas físicos difíceis, mudanças corporais significativas e, em algum ponto do caminho, talvez o enfermo comece a fazer perguntas ou tecer considerações, algumas delas muito difíceis de ouvir ou de responder. Pode ser um tempo em que antigos ressentimentos precisem ser revisitados, em que raivas guardadas nas gavetas da alma apareçam. Elisabeth chamava essas questões de "tarefas inacabadas", e considerava que somente aqueles que estão prontos para ouvir suportarão acompanhar a pessoa que está morrendo nessa jornada. [6] Quem de nós está pronto?

Partindo-se dessas considerações, podemos supor que o exercício de entrega não é difícil apenas para quem está morrendo, mas para todos aqueles que participam desse processo. É preciso abandonar a expectativa de um futuro melhor e lidar com a situação concreta que se apresenta. É preciso se entregar ao movimento da vida, sem querer apressar as coisas, por mais que esse seja um desejo de muitos familiares, sobretudo quando o processo de morrer demora mais que o esperado. É preciso não querer apressar o rio e permitir que ele corra sozinho, como afirma Barry Stevens. [7] Entregar-se ao tempo da natureza é um ato de sabedoria, que nos permite acessar outro nível de entrega e conexão com a vida. É decidir não se preocupar e caminhar com a alma leve, ainda que os olhos não vejam a presença da luz. É não deixar de respirar com serenidade, contemplando a beleza da vida, porque não há nada de atemorizante na noite, para quem a conhece. Independentemente do que aconteça, seja dia ou noite, entregar-se com paz a todo esse processo é um presente especial que o indivíduo pode dar a si mesmo e aos que estão ao seu redor.

É nesse contexto da vida, tão especial quanto sublime, que os profissionais de saúde têm a oportunidade de exercer seu ofício mais sagrado. Ser convidado para estar ao lado de alguém que está morrendo é como receber um convite de formatura, que costuma ser dirigido a poucos. É íntimo. É singular. Nem tudo são dores, mas é importante saber que também nem tudo serão flores. Por certo haverá famílias que viverão esse momento com amor, seus membros estarão presentes e dispostos a ajudar uns aos outros, mas aqui e ali depararemos com o fato de que nem sempre será assim. Pode haver muito ressentimento, dores emocionais que atravessam gerações, problemas familiares e sociais dificílimos, e seríamos bastante arrogantes se considerássemos que um trabalho de dias a semanas, ou mesmo de meses, seria suficiente para resolver todas as tarefas inacabadas. Assim, dispor-se a estar nesse círculo tão íntimo, cuidando dos pacientes e dos seus familiares, é um desafio, sobretudo porque será necessário desenvolver uma consciência muito cuidadosa de nossos limites.

Desse modo, o primeiro elemento para desenvolver a escuta amorosa com as pessoas diante da morte é o exercício de compreender a nossa capacidade limitada de ajuda. Em seguida, vem a necessidade de acionar uma ampla rede de apoio multiprofissional e familiar. É ter a consciência de que, por mais capacitados que sejamos, sozinhos não poderemos oferecer um bom cuidado. Além disso, há várias coisas que podemos fazer pelos outros, mas também há coisas que só os outros poderão fazer por si mesmos — e seria tentador se começássemos a querer cercar os pacientes numa redoma, acreditando que poderíamos evitar seus sofrimentos. Uma frase célebre de Elisabeth resume bem essa importante lição: "Se protegêssemos os cânions dos vendavais, nunca veríamos a beleza de seu relevo e de suas cavidades". Agindo assim, tornaríamos os pacientes mais inseguros quanto à própria capacidade de assumir e resolver suas tarefas inacabadas. Além disso, correríamos o risco de que eles passassem a acreditar que dependem de nós. Um ditado muito simples de Abraham Lincoln, tão apreciado por Elisabeth, encerra uma profunda sabedoria: "Não se pode ajudar os homens fazendo por eles, constantemente, o que eles mesmos podem e devem fazer por si mesmos".

Incentivar a autonomia dos que estão sob os nossos cuidados pressupõe reconhecer que não poderemos fazer tudo por eles, mas que devemos confiar em sua capacidade de conduzir a vida, assim como a própria morte. É claro que podemos nos manter próximos e disponíveis sempre que necessário, mas o mais importante é que saibamos diferenciar o que é nossa responsabilidade e o que é responsabilidade dos outros. Devemos nos importar de maneira legítima com os pacientes para que o cuidado aconteça, mas isso precisa vir com o selo do compromisso com o crescimento e com o respeito à autonomia deles, até o momento de sua morte. Há 50 anos, Elisabeth já falava sobre isso:

> Quando um paciente está gravemente enfermo, em geral é tratado como alguém sem direito a opinar. Quase sempre é outra pessoa quem decide sobre se, quando e onde um paciente deverá ser hospitalizado. Custaria tão pouco lembrar-se que o doente também tem sentimentos, desejos, opiniões e, acima de tudo, o direito de ser ouvido. [3]

Não há nada pior do que quando passamos a tratar os pacientes como se fossem pessoas incapazes de fazer algo, porque eles podem começar a acreditar nisso. E nós também. Uma vez, um paciente que acompanhamos faleceu, e a família gostaria muito de enterrá-lo com o terno com o qual ele havia se casado. Várias pessoas da equipe quiseram ir buscar o terno, até que alguém disse: "Será que não há ninguém da família que possa buscá-lo?" Nesse caso, houve a sorte de uma pessoa estar atenta a não invadir o espaço que cabe àqueles que têm a intimidade necessária para fazê-lo. Agir de maneira diferente daquela seria assumir uma responsabilidade que não é nossa e, ao mesmo tempo, desrespeitar o aprendizado que cabe unicamente ao outro. É claro que em certos casos essas fronteiras variam muito, mas é importante que continuemos ainda mais atentos. É fundamental levar isso a sério, pois a capacidade de manter nossa saúde física e moral depende disso. Se ignorarmos nossas necessidades de lazer e repouso, corremos o risco de adoecer junto com o paciente ou com seus familiares.

É importante estar disponível, mas nunca de maneira excessiva. É importante ajudar com a verdade do coração, mas nunca de modo que esqueçamos de nós mesmos. O médico que deixa de almoçar todos os dias da semana por amor aos pacientes demonstra dificuldade de levar o cuidado consigo a sério, colocando em segundo plano a própria saúde em nome de sua profissão, em nome do que aqueles que estão sob os seus cuidados esperam dele e também em nome da sua posição no mundo.

Quando se está estafado, cansado, ultrapassando os limites, a capacidade de escutar os sofrimentos de quem está morrendo fica comprometida. A exaustão física ou psíquica mina a capacidade de sustentar a atenção por muito tempo, e a paz de espírito, tão necessária a esse trabalho, vai ficando cada vez mais escassa. Não há verdade maior do que esta: cuidar de si mesmo é o primeiro passo para cuidar dos outros. E mais: esse é o único caminho.

Um ponto muito relevante para escutar as pessoas diante da morte é a imperiosa necessidade de o cuidador (seja ele profissional ou não) estar atento às próprias reações emocionais diante dos pacientes e de seus familiares. Sentimentos de raiva, frustração e impotência em geral surgem sem nos darmos conta. Um paciente que decide suspender o tratamento pode provocar esses sentimentos reprimidos em seu cuidador, remetendo a alguma tarefa inacabada ou mal resolvida de sua história. Testemunhamos um jovem médico se exaltar ao chamar a atenção de uma senhora com dificuldades de seguir as recomendações dele, não aderindo ao tratamento. O nível de hostilidade dele ultrapassou todos os limites. Mais tarde, esse mesmo médico nos confessou que sua avó também não conseguia seguir as mesmas recomendações, consideradas por ele tão simples. Assim, por vezes, o mal-estar e o desconforto vivido por profissionais de saúde se remeterão às suas tarefas inacabadas, a problemas mal resolvidos ou a lutos mal elaborados, que repercutirão na forma de lidar com o paciente.

Mas não são apenas sentimentos negativos que aparecem no contexto do cuidado de pessoas com doenças graves. Certa vez, conhecemos um médico que ia sempre visitar uma senhora de meia-idade, mesmo nos dias que não estavam previstos os seus plantões. Ele fazia isso para confortá-la, e nos confessou que ela lembrava muito a sua mãe, que falecera de forma repentina. Houve notoriamente a construção de um vínculo profundo entre ambos. No curso do adoecimento dessa paciente, para lhe dar mais conforto, fazia-se necessário sedá-la por tempo indeterminado, pois seu sofrimento era visível. Por vezes, sedar o paciente — seja de maneira contínua, seja por determinados períodos — pode ser importante para ajudá-lo. São raras as situações em que isso é necessário, ainda mais com todos os recursos disponíveis hoje na medicina. Mas nesse caso isso se tornou uma necessidade. Em virtude dos seus sentimentos pela paciente, ele adiou a decisão da sedação para além do esperado, pois ela ainda parecia gostar de suas visitas. Aquela reação emocional influenciou não apenas o seu comportamento, mas também sua conduta clínica. Nesse sentido, afirmou Elisabeth, ainda em sua obra inaugural:

É importante examinarmos mais de perto as nossas reações no trabalho, pois elas se refletem no comportamento dos pacientes, contribuindo até para seu bem-estar ou sua piora. Estarmos propensos a olhar honestamente dentro de nós mesmos é uma contribuição para nosso crescimento ou amadurecimento. Para tanto, não recomendo nenhum outro trabalho senão o de lidar com pacientes idosos, muito doentes ou às vésperas da morte. [3]

Desse modo, o que queremos dizer é que o importante é exercitar a atenção aos sentimentos experimentados na lida com os pacientes, os familiares e os demais membros da equipe. Tais sentimentos, inevitáveis e naturais, nos influenciam, alcançando nossa singularidade de forma bastante profunda, o que nem sempre notamos. Se nos atrevermos a ser honestos, veremos que nossos sentimentos sempre influenciaram nossa escuta e quem nos tornamos diante do outro. A dita neutralidade profissional, tão desejada por muitos, é impossível de ser alcançada. O mais importante não é evitar, mas estar atento à mensagem que nasce do próprio coração, aos sentimentos experimentados e às emoções vividas — e isso não apenas em nome da nossa saúde, mas também em benefício de nossos pacientes.

Outro elemento indispensável para escutar as pessoas gravemente doentes é perceber nossa condição perante a morte. Esse é um ponto capital, pois o ato de sentar-se à cabeceira de um paciente terminal só é possível se o profissional de saúde tiver tido tempo e condições de refletir sobre sua condição finita. Todos os que se dedicam a esse trabalho certamente se lembrarão, se tiverem tido o mínimo de percepção consigo mesmos, do misto de ansiedade com expectativa vivido sobretudo nos primeiros atendimentos. Poucos, senão raríssimos de nós, passam incólumes por essa experiência. Certo nível de ansiedade é normal, mas pode ser paralisante se o cuidador não houver tido a oportunidade de refletir sobre a própria morte. É impossível escutar alguém que está morrendo se os ouvidos estiverem cheios de medo e pavor. Nesse caso, a pessoa adoecida costuma perceber isso e se cala para poupar quem está ao seu redor. Assim, é curioso como certos médicos julgam que nenhum paciente está disposto a falar sobre a morte, quando na verdade isso fala mais sobre o próprio médico que sobre os pacientes, que podem estar apenas reagindo ao comportamento ansioso de quem o circunda. Ensinou Elisabeth Kübler-Ross, também em *Sobre a morte e o morrer*:

> Se não somos capazes de encarar a morte com serenidade, como podemos ajudar nossos pacientes? Esperamos, então, que os doentes não nos façam este terrível pedido. Despistamos, falamos de banalidades, do tempo maravilhoso lá fora e, se o paciente for sensível, fará nosso jogo falando da primavera que virá, mesmo sabendo que para ele a primavera não vem. Estes médicos, quando interpelados, dirão que seus pacientes não querem saber a verdade, que nunca perguntaram qual era ela e acham que tudo está bem. De fato, sendo médicos, sentem-se grandemente aliviados por não terem de enfrentar a verdade, desconhecendo totalmente, o mais das vezes, que foram eles mesmos que provocaram esta atitude em seus pacientes. [3]

Escutar as pessoas diante da morte é uma arte que pode ser aprendida com anos de exercício e de prática supervisionada, mas também é praticada por pessoas sem graduação na área da saúde, como um dom. O fato é que todo treinamento ajuda e, na maioria das vezes, aqueles que vão para a assistência sem ter recebido treinamento adequado se fecham em si mesmos, sem que desenvolvam as habilidades necessárias para o trabalho. Mas, em nossa jornada nesse campo, temos encontrado pessoas de grande sabedoria sem nenhum tipo de conhecimento especializado. Elas se dispõem a escutar, a se comover e mais ouvir do que falar. São esses indivíduos que costumam escutar com as entranhas do coração, que primeiro buscam conhecer o que os pacientes já sabem e toleram saber, para depois comunicar certas verdades sobre seu estado de saúde ou conversar sobre certos assuntos tão difíceis quanto delicados. Elisabeth tratou da questão ao contar a história de uma faxineira do hospital que cuidava dos pacientes hospitalizados:

> Naqueles primeiros dias do que seria conhecido como o nascimento da tanatologia, ou o estudo da morte, a melhor professora que tive foi uma faxineira negra. Não sabia seu nome à época, mas sempre a encontrava nos corredores, de dia ou à noite, dependendo de nossos plantões. O que chamou minha atenção, no entanto, foi o efeito que sua presença causava em muitos dos pacientes mais graves. Cada vez que ela saía dos seus quartos, eu notava uma diferença palpável nas atitudes deles. [...] Quando ficamos inteiramente sozinhas, onde ninguém nos podia ouvir, ela revelou-me a história trágica de sua vida, abrindo-me seu coração e sua alma de uma maneira que estava acima de minha compreensão.
> Do sul de Chicago, ela cresceu na pobreza e na miséria. [...] Um dia, seu menino de 3 anos de idade ficou muito doente, com pneumonia. Ela o levou para o setor de emergência de um hospital próximo, mas não foi atendida porque estava devendo dez dólares ali. Desesperada, andou até o Hospital Cook, onde eram obrigados a aceitar indigentes.
> Lá, infelizmente, entrou numa sala cheia de gente como ela, com grave necessidade de atendimento médico. Disseram-lhe que esperasse. Depois de três horas sentada aguardando a vez de ser atendida, viu seu filho arquejar, sufocar e morrer, enquanto ela o embalava em seus braços. Embora fosse impossível não sentir aquela perda, o que mais me impressionou foi a maneira como a mulher contou sua his-

tória. Ao mesmo tempo que estava profundamente triste, não demonstrava negatividade, amargura ou ressentimento, nem fazia acusações. Ao contrário, deixava transparecer por inteiro uma paz que me surpreendia. Era tão estranho, e eu era tão ingênua então, que quase perguntei: "Por que está me contando tudo isso? O que isso tem a ver com meus pacientes terminais?" Ela, porém, olhou para mim com seus olhos escuros cheios de doçura e compreensão e respondeu, como se lesse a minha mente:

— Sabe, a morte não é uma estranha para mim. É uma velha conhecida, de muito tempo.

E me transformei na aluna diante da professora.

— Não tenho mais medo dela — continuou, com sua voz mansa, calma e objetiva. — Às vezes, quando entro no quarto desses doentes, vejo que estão simplesmente petrificados de medo e não têm ninguém com quem falar. Então, chego perto deles. E muitas vezes até seguro suas mãos e digo a eles que não se preocupem, que não é tão horrível assim.

E não disse mais nada. Pouco tempo depois, promovi-a de faxineira a minha principal assistente. [4]

Escutar de verdade pressupõe fazer mais perguntas que afirmações, checar se o que se ouviu está correto e não tomar nada como óbvio ou evidente. Esses são passos de fato importantes. O sentido atribuído pelo paciente aos fatos e às circunstâncias não é o mesmo que daríamos, e por isso é bom checar se a nossa compreensão está correta. A pessoa adoecida pode ver as coisas de maneira muito diferente de nós, e isso é mais comum do que supomos. Levar isso em conta é vital, pois a singularidade do paciente precisa ser reconhecida. Assim, precisamos fazer uma espécie de suspensão de nossos saberes, suposições, expectativas, preconceitos, para escutar sem julgar. É importante colocar em suspenso todas as nossas suposições sobre o outro e escutá-lo com o objetivo de conhecê-lo. Sem isso, o cuidado efetivo é impossível.

Temos de aprender a colocar nossas referências de mundo ao lado, e não de lado, porque não podemos simplesmente abandoná-las, uma vez que elas têm também a sua utilidade, pois são as nossas referências, resultado do nosso aprendizado passado. No entanto, precisamos nos esforçar para compreender as referências e perspectivas do paciente e dos seus familiares, e não tomar as nossas referências como universais. Não tomar nada como óbvio significa que, se a pessoa não estiver disposta a colocar ao lado o que ela sabe ou julga saber sobre o outro, não conseguirá escutar e perguntar sem pré-julgamentos. O cuidado legítimo só acontece quando se abre mão das respostas simples, da tentativa de enquadrar os pacientes em teorias ou diagnósticos, para se conhecer as pessoas reais.

Cada paciente é um ser singular e irrepetível, e por isso temos de estar dispostos a compreender sua biografia e sua forma singular de lidar com a doença e a morte, e assim integrar esses elementos a um tratamento multidisciplinar. Foi isso que ensinou Elisabeth, na introdução de sua obra inaugural: "Pedimos que o paciente fosse o nosso professor, de modo que pudéssemos aprender mais sobre os estágios finais da vida com suas ansiedades, medos e esperanças". [3] Tomar o paciente como o professor é um primeiro passo para se atingir tal compreensão. Só o paciente poderá nos ensinar e nos guiar sobre o que faz mais sentido para ele diante da vida e da morte.

Além disso, precisamos abandonar nossos esquemas rígidos do que seria uma boa morte, pois esta tem significados diferentes para cada um. Tais esquemas partem de generalizações e idealizações que, na maioria das vezes, não encontram representações no mundo real. Uma boa morte para nós pode não ser uma boa morte para o paciente ou para a sua família. Por vezes, por mais que sejam feitos todos os esforços de uma equipe bem treinada em cuidados paliativos, alguns sofrimentos fogem ao controle e a morte ideal não acontece. Em certas ocasiões, morrer em casa não será a decisão mais segura, seja porque isso se tornará um fardo para os cuidadores, seja porque não haverá atenção médica disponível, ou ainda por outras razões. O fato é que, para nos comunicarmos de forma real, profunda e verdadeira, é preciso lidar com a realidade dos fatos e compreender que algumas circunstâncias compõem um aprendizado para as pessoas envolvidas. Muitos profissionais idealizam o paciente morrendo em casa, em uma cama de casal, com os filhos e esposa ao seu lado, cantando para ele partir. Mas isso nem sempre será possível. E, quando a morte não acontece assim, não devemos nos sentir fracassados. Abandonar esse complexo esquema do que seria uma boa morte para focar na melhor morte possível, com o máximo de conforto possível, é fonte de paz para os profissionais e cuidadores. É saber que existem situações que estão além do nosso controle e fazer as pazes com nossa condição mortal. O mais importante é termos a certeza de que, ao permitir o rio correr sozinho, sem tentar controlar o incontrolável, estamos sempre fazendo o melhor possível. E, muitas vezes, até o impossível.

Uma enfermeira certa vez nos disse que para se comunicar melhor com os pacientes ia procurar um curso para a leitura de auras, a fim de fazer uma abordagem aprofundada da experiência emocional dos doentes. Várias pessoas, sobretudo as mais céticas, debocharam daquela mulher, mas quase ninguém se deu conta que ela queria penetrar a alma dos pacientes, e presumia que aquele treinamento a ajudaria. Acreditemos ou não na existência de auras, ou mesmo na capacidade de lê-las, pouco importa. O fato é que precisamos desenvolver a habilidade de ler o que as palavras não dizem, mas se expressa pelo corpo, pelo jeito de falar, pelo volume da voz, pelo olhar, pelo silêncio que vai além do que é dito. Precisaremos entender que algumas coisas são ditas gritando enquanto predomina um profundo silêncio, seja por meio de um gesto ou de um simples comportamento. Então, devemos treinar olhos, ouvidos e intuição e confiar nela, pois por vezes os dados mais preciosos decorrem disso que não podemos ver, mas que podemos verdadeiramente sentir e perceber no ar. Escutar é também a arte de captar o que as palavras nunca terão força e capacidade de dizer, mas que com o coração podemos acolher.

A capacidade de sustentar o silêncio, de não o perturbar, oferecendo uma presença silenciosa, também é fundamental na escuta de pessoas com doenças graves. Sustentar o silêncio exige a compreensão de que nem sempre as palavras são necessárias, e que o silêncio pode ser um esteio para uma alma que está cansada e enfim encontra repouso. Descansar no silêncio é uma necessidade para muitos daqueles que se aproximam da morte e estão em busca de paz antes de partir. Esse silêncio é muito diferente do silêncio de constrangimento ou de ansiedade decorrente de uma tarefa inacabada; às vezes, vale a pena perguntar o que o silêncio significa. Uma pergunta como "Se esse silêncio tivesse voz, o que ele me diria?" pode facilitar a investigação do sentido daquele silêncio em particular e ampliar o vínculo entre o paciente e o seu cuidador. Sobre esse ponto, Elisabeth teceu as seguintes considerações:

> Aqueles que tiverem a força e o amor para ficar ao lado de um paciente moribundo, com o silêncio que vai além das palavras, saberão que tal momento não é assustador nem doloroso, mas um cessar em paz do funcionamento do corpo. Observar a morte em paz de um ser humano faz-nos lembrar duma estrela cadente. É uma entre milhões de luzes do céu imenso, que cintila ainda por um breve momento para desaparecer para sempre na noite sem fim. [3]

Para além da tristeza, das dores e do horizonte da doença, a fim de que haja uma boa capacidade de escuta, também é preciso estar disposto a conversar sobre tudo, e não apenas sobre a morte e a doença. Para muitos pacientes, ser tratados como pessoas normais, que têm direito a rir e a se divertir, é o que faz que se sintam vivos de novo.

> A pior coisa que podemos fazer com os pacientes gravemente doentes e com o resto da família é fazer da casa um necrotério enquanto o paciente continua vivendo. Onde existe riso e alegria, compartilhamento de amor e de pequenos prazeres, as dificuldades do dia a dia são muito mais fáceis de ultrapassar. [3]

Nem todos os pacientes desejarão falar sobre a própria morte, ou simplesmente não estarão prontos para isso, sendo fundamental não apressar o processo, que pede tempo para amadurecer. Cada um sabe de seu tempo e sobre o que prefere falar. Podemos oferecer uma escuta ativa, mas não influenciar o que será dito. Esse era um cuidado de Elisabeth, sobretudo em relação aos Seminários sobre a Morte e o Morrer:

> Vestindo meu jaleco branco, com meu nome e título, "Apoio Psiquiátrico", eu pedia permissão para fazer perguntas a eles diante de meus alunos a respeito de sua doença, sua hospitalização e quaisquer outros assuntos que desejassem comentar. Nunca usava as palavras "morte" e "morrer" até que eles as pronunciassem. [4]

Alguns pacientes precisarão de companhia para falar de generalidades, da vida do lado de fora do quarto, das preocupações domésticas, e pode até mesmo acontecer de a morte não se tornar um tema de que queiram tratar. Isso não significa que estejam operando num nível mais profundo de negação: por vezes é justamente o oposto. O que importa é manter os ouvidos atentos para o que aparecer, sem tentar conduzir os pacientes para os temas que consideraríamos prioritários. Não há um jeito certo nem errado de morrer. Quando nos apegamos a uma expectativa de como a morte deve ser abordada, é ainda nossa tentativa de controle falando mais alto.

Por fim, queremos dizer que a arte de escutar as pessoas diante da morte exige grande dose de compromisso e de amor. Isso implica uma boa capacidade de se importar com a pessoa adoecida e sua família, de ler nas entrelinhas e captar a essência do ser humano. Assim, podem-se realizar diversos treinamentos em protocolos de comunicação, desenvolver habilidades e competências de fato necessárias ao trabalho, mas só conseguirá desenvolver uma boa qualidade de escuta aquele que de fato se importa com o alívio do sofrimento alheio. Importar-se é um toque de gentileza, que reverbera e alivia significativamente o sofrimento. É assim que a escuta, mais do que um mero exercício humanitário, é um dos instrumentos mais delicados, precisos e indispensáveis ao cuidado dos que se aproximam da morte.

Escritos há mais de 50 anos, esses ensinamentos sobre a escuta de pessoas diante da morte e suas famílias são os mais relevantes da obra e do legado de Elisabeth. Não sem surpresa, deparamos com os mesmos ensinamentos quando hoje colocamos os pacientes como nossos professores. Percebemos que, depois de tantas décadas, os desafios permanecem quase os mesmos, como veremos na segunda parte deste livro.

3.
Os Seminários sobre a Morte e o Morrer

> *Eu faço as minhas coisas e você faz as suas coisas. Eu sou eu, você é você. Não estou neste mundo para viver de acordo com as suas expectativas. E nem você o está para viver de acordo com as minhas. Mas, se por acaso nos encontrarmos, será lindo. Se não, não há o que fazer.*
> Fritz Perls, "Oração da Gestalt"

Elisabeth chegou a conhecer a fundo a experiência daqueles que se aproximam da morte simplesmente escutando o que eles tinham a dizer. Centenas de pacientes foram ouvidos, ao todo, nos seminários que Elisabeth conduzia toda semana na presença de alunos e profissionais da área da saúde. Convém aqui que façamos um breve recuo histórico, a fim de compreender o surgimento da ideia dos seminários e as experiências vividas por Elisabeth em sua condução.

> No outono de 1965, quatro estudantes do Seminário Teológico de Chicago pediram minha colaboração num projeto de pesquisa que estavam desenvolvendo. Deviam compilar um trabalho sobre "as crises da vida humana" e eles eram unânimes em considerar a morte como a maior crise que o homem enfrenta. Surgiu a pergunta natural: como fazer pesquisas sobre a morte e o morrer se é impossível conseguir os dados? [...] Depois de uma pequena reunião, decidimos que a melhor forma de se estudar a morte e o morrer era pedir que os pa-

cientes em fase terminal fossem nossos professores. Observaríamos os pacientes gravemente enfermos, examinaríamos suas reações e necessidades, avaliaríamos o comportamento dos que os cercavam e procuraríamos nos aproximar o máximo possível do moribundo. [4]

Como os estudantes não tinham nenhuma experiência clínica, Elisabeth conduziria a entrevista, enquanto os alunos ficariam ao redor da cama assistindo e observando. Elisabeth elaborou a seguinte síntese:

> Acreditávamos que, fazendo muitas entrevistas como esta, aprenderíamos a captar a alma dos doentes em fase terminal e suas necessidades, as quais, em contrapartida, estávamos prontos para satisfazer, na medida do possível. [...] Estávamos satisfeitos com o nosso projeto e as dificuldades surgiriam dias depois. [4]

Quando Elisabeth começou a procurar os médicos para ter a oportunidade de entrevistar pacientes para seu projeto pedagógico, o resultado foi desanimador. A equipe de saúde apresentou uma postura paternalista, na tentativa de proteger os pacientes — ou, quem sabe, a si mesma.

> O resultado foi que não consegui uma só oportunidade de ao menos me aproximar dos pacientes. Alguns médicos "protegiam" seus pacientes, dizendo que estavam doentes demais, fracos demais, cansados demais, ou que eram avessos a conversas; outros se recusavam de chofre a tomar parte em tal projeto. [...] De repente, parecia não haver pacientes moribundos neste enorme hospital. Meus telefonemas e visitas pessoais aos setores foram inúteis. Alguns médicos diziam educadamente que iriam pensar no assunto; outros, que não queriam expor seus pacientes a esse tipo de entrevista, pois isto iria cansá-los demais. Uma enfermeira, numa descrença total, indagou zangada se eu sentia prazer em con-

tar a um jovem de 20 anos que ele só tinha uns 15 dias de vida! E retirou-se sem que eu pudesse explicar algo mais de nossos planos. [4]

Então, Elisabeth finalmente encontrou um paciente que estava disposto a conversar. Ele a convidou a sentar-se naquele mesmo momento e iniciar a entrevista. Elisabeth hesitou e perguntou ao paciente se poderia retornar no dia seguinte para a experiência pedagógica.

> Fora tão difícil conseguir um paciente, que eu queria ter a participação dos estudantes. Não sabia que, quando um paciente nesse estado diz "sente aqui, *agora*", amanhã pode ser tarde demais. Quando voltamos no dia seguinte, encontramo-lo reclinado em seu travesseiro, sem forças para falar. Procurou inutilmente levantar os braços e murmurou: "Obrigado por terem tentado". Morreu menos de uma hora depois, guardando para si o que nos queria dizer e o que desejávamos saber tão desesperadamente. Foi nossa primeira e mais dolorosa lição, mas foi também o início de um seminário que deveria começar como um experimento, mas que resultou numa valiosa experiência para muitos. [4]

Essa foi uma experiência marcante para Elisabeth e seus alunos, que compreenderam, por meio da frustração, que o tempo do paciente é único e a oportunidade de escutar não pode ser deixada para depois. Além disso, a ocasião os levou a perceber a importância de se estar atento aos próprios sentimentos.

> Depois desse encontro, os estudantes me procuraram na sala. Sentíamos necessidade de falar sobre nossa experiência e comunicar nossas reações recíprocas para melhor entendê-las. Esta atitude perdura até hoje. Tecnicamente, pouco mudou a esse respeito. Continuamos a visitar, a cada semana, um paciente em fase terminal. Pedimos licença para gravar o diálogo, deixando o paciente inteiramente à vontade. Transferimo-nos do quarto do doente para uma pequena sala de en-

trevistas, onde podemos ser observados e vistos pelo auditório [...]. O grupo de estudantes passou de quatro para 50 [...]. [3]

Em sua metodologia, Elisabeth abordava o paciente de modo que ele pudesse se sentir absolutamente seguro e confiante, mas também informado sobre o objetivo da entrevista e concordando com sua participação.

> Quando tomamos conhecimento de um paciente com disposição para o seminário, eu o abordo sozinha, ou com um dos estudantes e um médico responsável, ou com o capelão do hospital, ou mesmo com ambos. Depois de uma breve apresentação, comunicamos sem rodeios a finalidade e a duração da nossa visita. Digo a cada paciente que temos um grupo interdisciplinar do pessoal do hospital que quer aprender com ele. Fazemos, então, uma pausa, aguardando a reação verbal ou não verbal do paciente. E só começamos depois que ele nos convida a falar. [3]

Quando o paciente concordava em participar, o que acontecia na quase totalidade dos casos, ele era transferido para a sala de entrevistas, levando consigo o soro ou o equipamento de transfusão, se isso fosse necessário. Após as entrevistas, Elisabeth se despedia do paciente e voltava para conduzir o debate com os ouvintes.

> Instalados na sala, a conversa flui de maneira fácil e rápida, começando com informações de caráter geral até atingir revelações muito pessoais [...]. Após cada entrevista, o paciente é levado ao seu quarto e o seminário continua. Nenhum paciente fica esperando nos corredores. Quando o entrevistador volta à sala de aula, discutimos o ocorrido juntamente com os ouvintes no auditório. Nossas próprias reações espontâneas vêm à tona, sem preocupação de que sejam justas ou irracionais. Discutimos as diversas reações, tanto as emocionais como as intelectuais. Discutimos as diferentes perguntas e abor-

dagens e, finalmente, buscamos uma compreensão psicodinâmica de sua comunicação. Em seguida, estudamos seu potencial e suas fraquezas, além dos nossos, em contato com determinada pessoa, e concluímos recomendando certas atitudes, na esperança de dar lenitivo aos últimos dias ou semanas do paciente. [3]

O debate sobre as reações emocionais dos presentes tem muitas vantagens, demonstradas pela própria experiência. As análises dessas reações emocionais permitiam que os assistentes avaliassem a própria dinâmica diante do paciente, o que costumava passar despercebido no cotidiano profissional. Eles compreendiam o que lhes mobilizava, que tipos de paciente evitavam e por quais motivos, examinavam as reações de raiva, tristeza profunda e impotência, e desenvolviam recursos para lidar com elas.

> Dois anos depois de ter sido criado, esse seminário passou à categoria de curso na Escola de Medicina e no Seminário de Teologia. É frequentado também por inúmeros médicos visitantes, por enfermeiras, ajudantes de enfermagem, assistentes hospitalares, assistentes sociais, padres, rabinos, terapeutas de inalação e ocupação e, vez por outra, por membros da faculdade. Os estudantes de Medicina e Teologia que o frequentam como um curso regular participam também de uma aula teórica, [...] onde são tratadas questões teóricas, filosóficas, morais, éticas e religiosas. [3]

Ao fim do segundo ano, não era mais preciso buscar pacientes, porque eles apresentavam-se espontaneamente com o desejo de ser professores, mas também eram encaminhados por parte significativa do *staff* do hospital. Os estudantes, os residentes e os médicos mais jovens eram os que mais bem compreendiam quanto aquela experiência era significativa para todos os que dela participavam, com especial destaque para os pacientes, que se sentiam úteis, em um contexto onde eram mantidos isolados. Um convite para que fossem os professores mudava tudo.

Quando as primeiras dificuldades foram vencidas, outras surgiram, e ainda com mais força. Havia uma parcela, ainda que mínima, da equipe do hospital que acusava Elisabeth de se aproveitar dos pacientes para se promover à custa deles. Quando os jornais quiseram fazer entrevistas, essas mesmas pessoas acusaram Elisabeth de fazer propaganda negativa do hospital, pois não queriam que ele ficasse conhecido como o "lugar onde os pacientes morrem", indicando um profundo sentido de negação predominante na cultura hospitalar.

A entrevista que tornou Elisabeth conhecida nacionalmente, e pela primeira vez abordou as necessidades das pessoas diante da morte de forma bastante aberta, foi publicada na *Life Magazine* em 1969. [2] Embora a reação dos pacientes e dos alunos tivesse sido a melhor possível, o gestor do hospital iniciou uma cruzada contra Elisabeth, afirmando que a instituição não era um lugar para se morrer, e que não queria que aquele espaço fosse relacionado com o tema.

Aos poucos, a situação se tornou insustentável, com políticas de silenciamento e uma truculenta retaliação. Elisabeth decidiu não apenas encerrar os seus seminários, como pediu demissão do cargo de professora universitária, em nome do bem-estar dos alunos. No decorrer das próximas três décadas, ela se manteve implacável, tornando-se uma líder do movimento *hospice* moderno e oferecendo uma inestimável contribuição por meio de suas obras, de seus workshops e conferências, de seu apoio para a abertura de *hospices* em todo o mundo. O método dos seminários, no entanto, continuou sendo empregado por Elisabeth em seus workshops e ações pedagógicas, com grande impacto para a educação de profissionais que até hoje atuam com pacientes diante da morte.

4.
Os estágios do processo do morrer

> *Nisto erramos: em ver a morte à nossa frente como um acontecimento futuro, enquanto grande parte dela já ficou para trás. Cada hora do nosso passado pertence à morte.*
> Sêneca, *Sobre a brevidade da vida*

Ao escutar as pessoas diante da morte, Elisabeth sentia que necessitava organizar e sintetizar algumas das experiências emocionais mais comuns de seus pacientes, a fim de facilitar que as pessoas que os cercavam compreendessem o que eles viviam. Ela precisava dar nome aos sentimentos mais comuns que muitas vezes nem os próprios pacientes conseguiam nomear. O que ela desejava era romper o silêncio e facilitar uma comunicação ampla entre a pessoa que estava morrendo, seus familiares e os profissionais de saúde. Então, por onde começar? Como sistematizar essa experiência, compondo uma síntese das principais lições aprendidas?

Elisabeth não era muito íntima da psicanálise e, quase a contragosto, procurou se aproximar dessa abordagem teórica. Por volta da década de 1960, realizou mais de 30 meses de treinamento no Instituto Psicanalítico de Chicago. Nesse tempo, se aproximou de Anna Freud. Paradoxalmente, elas acabaram se tornando amigas, a ponto de as ideias de Anna e de seu pai influenciarem o trabalho de Elisabeth na criação do modelo de estágios. É bom destacar que tal modelo não foi criado com base em um projeto de pesquisa aleatória, mas partiu da experiência clínica da própria Elisabeth ao entrevistar centenas de pacientes diante da morte. Ela não pretendia realizar um estudo psicológico completo sobre a experiência dos moribundos, mas dar um ponto de partida para o diálogo com eles. Queria aprender uma maneira de apresentar a mensagem que ela ouvia na narrativa de seus pacientes.

Ao desenvolver a análise das entrevistas e eleger um modelo para facilitar o entendimento e a comunicação com os gravemente enfermos, Elisabeth também não pretendia ficar conhecida pela criação do "modelo de cinco estágios", nem esperava que seu livro se reduzisse a isso. Ela apenas queria resumir o que aprendera com os pacientes em fim da vida, "[...] no sentido de lidar com os vários mecanismos durante uma doença incurável". [3]

Para Elisabeth, não importava a sequência ou o reconhecimento de todas as fases em todos os pacientes. O importante era acolher a reação singular de cada pessoa adoecida e de sua família, aproximar-se do paciente e se importar com ele. Em um contexto de tanto medo e de um completo afastamento das pessoas diante da morte, dar nome ao que elas viviam era uma forma de tornar a experiência do morrer menos apavorante.

Elisabeth também tinha o cuidado de destacar que nem tudo podia ser controlado, que nenhuma reação emocional ou estágio pode ser previsto e que esse era um exercício necessário para quem se propõe a cuidar por meio da escuta. Ouvir o outro é uma arte de permitir que ele se revele para ele mesmo. Essa revelação pode despertar sentimentos e reações cognitivas, como raiva, tristeza, alegria, felicidade, angústia, negação, aceitação, medo, desespero, alívio, confusão e tantos outros.

Esse é um processo singular; afinal, cada pessoa se constitui de suas referências, de suas escolhas, de suas ações e reações, de sua história, de sua vida e de sua morte. Portanto, não faz sentido enrijecer o modelo de Elisabeth em apenas cinco estágios, pois não é possível prever como as pessoas reagirão em cada momento de um grave adoecimento. O fato é que um modelo que foi criado para facilitar a comunicação entre o paciente, a equipe de saúde e seus familiares acabou se notabilizando no mundo todo, e continua sendo lido em mais de 30 idiomas. Poucos autores conseguem essa façanha.

No livro *Sobre a morte e o morrer*, podemos encontrar dez grandes reações emocionais das pessoas diante da morte, divididas em cinco estágios. [3] A leitura dessa obra ilustra o que Elisabeth procurou demonstrar: os estágios não são estanques e podem coexistir ou se combinar de maneira bastante complexa, sem que haja um tempo determinado ou mesmo uma ordem para as reações emocionais dos pacientes. Segundo Elisabeth, a única certeza é que cada paciente vive esse momento de forma única, e captar essa singularidade é fundamental ao cuidado da pessoa adoecida.

É preciso deixar claro que os cinco estágios do morrer criados por Elisabeth não se referem tão somente a negação, raiva, barganha, depressão e aceitação. Em seu esquema conceitual, Elisabeth tratou de reações como choque, esperança, negação parcial, luto antecipatório e decatexia como possíveis variantes dos cinco grandes estágios. Assim, destacamos que o modelo é bem mais complexo do que costuma supor.

A seguir, apresentaremos uma síntese dos estágios do processo do morrer referidos por Elisabeth em seu livro, ressaltando que esse é o nosso ponto de vista sobre essa questão. Lembramos que não há uma sequência definida dos estágios, e a ordem em que serão apresentados veio do modelo criado pela própria Elisabeth em 1969.

CHOQUE E NEGAÇÃO

Elisabeth percebeu que muitos pacientes tinham uma primeira reação de choque e negação ao receber o diagnóstico de uma doença grave e potencialmente fatal. Boa parte deles acreditava estar a uma distância segura da doença, e que ela só aconteceria para os outros, e não para si ou para seus familiares. Essa reação era marcada pela dificuldade do paciente de compreender, emocional e cognitivamente, a gravidade do seu estado. Elisabeth identificou que nessa fase as tentativas de convencimento do paciente eram inúteis. Ela considerava que esse era um dos mecanismos de defesa mais comuns. E acreditava que havia uma coisa muito importante a fazer pelos pacientes: avaliar se a negação que comumente é identificada no paciente não é uma reação à negação do profissional ou do cuidador. Elisabeth propunha que estivéssemos sempre atentos ao que representamos para cada um de nossos pacientes. Ao negar que o paciente está morrendo, o profissional de saúde pode levá-lo a se calar e apressadamente concluir que este está em negação. Na verdade, trata-se de um processo que ela chamou de *pseudonegação*. É também comum que em nossa cultura reações como alegria ou felicidade em pessoas que estejam morrendo sejam vistas como manifestações de negação, algo negativo, o que nem sempre corresponde à realidade. É o que veremos a seguir.

Outro tipo de negação que Elisabeth destaca é o da *negação parcial*, considerado por ela o mais comum, pois o paciente opera numa espécie de "meio conhecimento", segundo a expressão cunhada pelo psiquiatra Avery Weisman ainda na década de 1970. [8] A negação parcial acontece, por exemplo, quando o paciente compreende o que está se passando com ele, mas continua fazendo planos para um futuro longínquo. Essa forma de negação também pode vir acompanhada de momentos de distração, em que a pessoa se dedica a partes da sua vida que não sejam relacionadas à doença, como se divertir, namorar ou praticar um esporte. Tais elementos costumam ser fundamentais para que o indivíduo se reconheça, mantenha o sentido de sua dignidade pessoal e se adapte aos poucos ao seu novo momento de vida. Na maioria das vezes, trata-se de um modo saudável de lidar com o diagnóstico de uma doença grave, mas esse estado pode ser rompido por pesadelos noturnos, experiências de medo e de consciência aguda da própria mortalidade. Essa oscilação é normal e esperada, e compõe o processo de adaptação a uma nova realidade. Alguém que se disponha a se sentar e escutar com amor pode ser de grande ajuda, sobretudo em momentos de crise. Em geral, Elisabeth se sentava e envolvia as mãos do paciente, sem tentar apressar o processo, mas dispondo-se a ouvir com amor e muito respeito por si e pelo outro.

Embora seja mais raro, Elisabeth também destacou exemplos de pacientes que viveram uma negação profunda e persistente, mencionando que deveríamos respeitá-los em seu processo de negação. Uma análise bem cuidadosa da obra de Elisabeth levará o leitor a perceber que aquilo que ficou conhecido como o primeiro estágio do processo do morrer, denominado *choque e negação*, não é tão simples como se pensa. É um momento preparatório para tudo que o paciente viverá, uma fase de transição entre a vida conhecida e a desconhecida, o passado e o futuro, o "eu saudável" do ontem para o "eu adoecido" de hoje e de amanhã. Em muitos momentos, trata-se de uma passagem do eu eterno para o eu mortal, porque com a chegada da doença talvez seja a primeira vez que nos confrontamos verdadeiramente com a nossa mortalidade e finitude. Nesse sentido, a negação pode ser uma reação natural e esperada, manifestada por meio de níveis variados de certa descrença e dificuldade de acreditar no que está acontecendo.

Em nossa cultura, costumamos lidar com a morte com profunda negação e interdição coletiva, e não temos nem sequer a oportunidade de nos dar conta disso. Assim, não é de espantar que um dos mecanismos de defesa mais mencionados seja o da *negação*.

> Quando retrocedemos no tempo e estudamos culturas e povos antigos, temos a impressão de que o homem sempre abominou a morte e, provavelmente, sempre a repelirá. Do ponto de vista psiquiátrico, isto é bastante compreensível, e talvez se explique melhor pela noção básica de que, em nosso inconsciente, a morte nunca é possível quando se trata de nós. [3]

Naturalmente, nem todos os pacientes apresentam níveis mais ou menos aprofundados de negação, e seria tentador se começássemos a considerar que essa reação deve estar sempre presente. O mais importante é que lidemos com o paciente real, sem querer enquadrá-lo em modelos de qualquer natureza. Muitas vezes, Elisabeth era consultada com perguntas desse gênero: "Em qual estágio está esse paciente?", ao que ela respondia: "Lide com o paciente real que aí está. Escute-o. Conheça a experiência de adoecimento irrepetível dele, a maneira singular dele de lidar com a sua situação concreta, e não tente enquadrá-lo num modelo de estágios!" Acreditamos que essa é uma preciosa lição, que vale a pena nunca esquecer.

ESPERANÇA

Um estágio pouco abordado pelos críticos de Elisabeth é o da *esperança*, uma das fases mais importantes do ponto de vista da autora e que persistia desde o momento do diagnóstico até a proximidade da morte, assumindo várias feições no curso da doença. Muitos pacientes que perdiam a esperança da cura podiam manter a esperança de controlar os sintomas, de ter uma situação feliz depois da morte ou de ter a oportunidade de se reconciliar com as pessoas significativas antes da sua partida. O que significa esperança para cada um é muito singular, e por isso existem diversas formas de se manter esperançoso, ainda que diante da morte. A esperança é um dos temas mais importantes para Elisabeth, que destacava quanto esse estágio geralmente acompanhava todos os outros.

Elisabeth se deu conta da importância da esperança quando ainda estava nos campos de concentração e viu as borboletas desenhadas nas paredes dos alojamentos. Ela percebeu que aquele local, tão terrível quanto pavoroso, não retirou a capacidade de muitos de manter viva a esperança, ainda que fosse a esperança de um futuro melhor depois da morte. Para muitos indivíduos, a esperança é contingenciada pela habilidade de encontrar de modo continuado um sentido mais profundo para cada dia da vida. Por outro lado, a desesperança é muitas vezes acompanhada de um doloroso senso de desespero e de desânimo, e por essa razão deve ser avaliada, monitorada e estimulada.

Às vezes, doses muito pequenas de esperança são suficientes para que o paciente recupere o desejo de permanecer vivo até o dia de sua morte, ou seja, manter-se conectado com a vida até o momento definitivo de deixá-la. Perguntas como "Como o seu dia pode ficar melhor hoje?", "Tem algo que o incomoda?" e "O que podemos fazer para ajudá-lo a se sentir melhor?" são poderosas molas propulsoras da esperança em um contexto de perda progressiva da saúde.

A essência da esperança é a liberdade, já que ela tanto pode ser fugaz quanto concreta. Há algo interessante sobre a esperança: metonímica, posto que sofre metamorfoses, ela é por isso difícil de se esgotar. Um homem idoso que tem a esperança de ver a neta perder o primeiro dente de leite pode realizar esse desejo e criar uma nova esperança para momentos vindouros. Talvez seja a esperança a marca que nos projete incessantemente para o futuro, muitas vezes nos protegendo da dureza do presente.

Trata-se de um sentimento que deve ser valorizado e respeitado, pois só o paciente sabe o que significa lidar com a esperança e com a falta dela. Para determinado paciente, a esperança pode ser acordar no paraíso, enquanto para outro talvez seja conseguir ver a neta dar os primeiros passos. Nesse sentido, respeitar significa também não julgar a própria esperança mais importante que a do paciente, nem a diminuir. Nunca saberemos de antemão o que é a esperança para cada um; o mais importante é ter ouvidos atentos e corações aquecidos para escutar e legitimar as esperanças e as consolações dos nossos pacientes. A esperança fala de um lugar sagrado, aquilo que morre por último dentro de cada um de nós.

É certo que existe uma linha tênue entre alimentar esperanças e contar mentiras piedosas aos pacientes. Para entender essa diferença, precisamos estar atentos às nossas esperanças, e não as impor aos pacientes. Devemos nos comprometer com a verdade acima de tudo, mas zelar para que essa verdade nunca desencoraje a esperança tão necessária em cada paciente. A esperança representa pequenos passos possíveis no curso de uma doença, e toca a cada um de modo muito particular, revelando, mais uma vez, a singularidade da existência de cada um.

RAIVA

A raiva é um dos estágios mais bem descritos por Elisabeth, justamente porque ele se relaciona com o fato de que a doença fatal muitas vezes se apresenta para nós, de forma figurativa, como um muro. O psiquiatra norte-americano William Breitbart afirma que esse muro pode produzir uma crise, apresentando-se como um impedimento para a direção que estávamos dando à vida. [9] Há momentos em que a vida nos impõe passar por determinadas situações que não desejamos nem escolhemos. Uma doença grave é, como dissemos, um desses "muros". A raiva, muitas vezes, vem do fato de que lidamos com um impedimento indesejável, um desvio que somos obrigados a fazer. Vemos que o objetivo final para o qual nos dirigimos pode não ser atingido, e nosso GPS interno começa a solicitar um novo endereço de destino — sem que tenhamos clareza de aonde estamos indo. Como é impossível retirar o muro, e já não podemos mais negá-lo por completo, a raiva aparece como uma forma nova de lidar com ele.

O estágio da raiva quase sempre é um sinal de que o paciente está se dando conta de que está em frente ao muro e que não há fuga fácil para ele. Então, ele pode dirigir essa raiva para a sinalização imperfeita da estrada, para sua incapacidade de ler com atenção as placas ou até mesmo para a imperícia de quem construiu o GPS. Quando a existência impõe determinadas situações, as pessoas tendem a procurar culpados, seja protestando contra a vida, contra os outros ou culpando a si mesmo. Naturalmente, elas precisam encontrar algo para descontar sua imensa frustração, uma última tentativa de se livrar daquela situação tão terrível e de voltar ao rumo já traçado. Inúmeras são as maneiras pelas quais os indivíduos lidam com as limitações apresentadas pela vida.

A raiva faz que muitos pacientes se mantenham conectados com a realidade da vida, permanecendo mais lúcidos do que no estágio da negação. Talvez até seja uma forma de abandonar a negação e se preparar para os acontecimentos que se desenrolarão no futuro. Eles terão de lutar com as forças restantes para que, lá na frente, digam a si mesmos que usaram todas as fichas. A raiva tem, muitas vezes, uma função: os pacientes podem dizer que tentaram de tudo. Reconhecem-se vivos quando se entregam a uma espécie de luta contra o seu destino inexorável.

É difícil para a equipe e os familiares conviver com o paciente nesse estágio. Alguns não poupam os que estão ao seu redor da hostilidade, e essas pessoas poderão oferecer grande ajuda se não tomarem essa raiva como algo pessoal. A raiva, na imensa maioria das vezes, decorre do fato de que o paciente está começando a vislumbrar o muro — e se revolta contra essa realidade. Nesses casos, ele precisa ser escutado. A equipe de saúde deve validar sua raiva, acolher seu sofrimento e, de certa maneira, autorizá-lo e respeitá-lo, por mais difícil que seja.

Ter o direito de ter raiva ao fim da vida e de poder falar sobre ela permite ao paciente aprender que o muro não será removido. Depois de expressar sua raiva, ele pode se sentir exaurido, e aparece uma oportunidade para buscar certo equilíbrio entre a raiva e a amorosidade. Sem dúvida, a raiva é um estágio exaustivo para todos, mas cumpre um importante papel na transição da vida para a morte. E, na medida em que o paciente pode falar sobre o que sente num clima de compreensão e amor, lenta ela dissolve e as defesas, aos poucos diminuem.

NEGAÇÃO PARCIAL

Elisabeth percebeu que a raiva pode coexistir com uma espécie de negação parcial e também com a esperança, justamente porque às vezes, por detrás da raiva, existe a crença irracional de que, se vociferar contra a doença, a pessoa terá a força suficiente para restaurar a saúde. Ao mesmo tempo, há a esperança de que a situação se transforme em milagre e a vida volte a ser o que já foi um dia.

Para muitos pacientes, a esperança de um milagre permanece até o último dia de vida. Nem todos se dão a oportunidade de vivenciar os possíveis milagres cotidianos, mesmo com o avanço da doença grave e incurável. Por outro lado, vários deles escolhem ter um encontro verdadeiro com a vida e se autorizam a ser protagonistas da própria história. Para alguns, o protesto da raiva é a primeira oportunidade de se dar conta do que fizeram da vida ou uma forma de incentivá-los a se reapropriar dela. Mas reavaliar toda uma vida diante da possibilidade de morrer é um processo, e não um fato. Alguns pacientes encontram na negação parcial uma oportunidade de se distrair de sua realidade tão dolorosa, e essa distração também tem sua importância. Ter tempo para fazer planos, divertir-se, falar de amenidades também é saudável para pacientes e famílias, que estão muitas vezes lidando com o pior momento de sua existência.

Dar-se conta do caminho percorrido no curso da vida, sobretudo quando ela chega ao final, nem sempre é fácil, e por isso o paciente precisa ser respeitado e compreendido em seus momentos de negação parcial. Isso significa que por vezes ele precisará ter momentos de lazer, fingindo que nada está acontecendo, para esquecer, ainda que por alguns instantes, que enfrenta uma doença muito grave. Esquecer-se disso pode ser uma dádiva e uma bênção para muitos pacientes, que se experimentam vivos de novo.

A negação parcial também pode cumprir outro papel: ela permite ao paciente — ou aos seus familiares — ampliar o engajamento com a vida, ainda que a situação de saúde dele seja tão delicada. Desse modo, o paciente pode continuar a exercer seu papel de mãe, de pai, de bancário, de amigo etc., mantendo-se aderido ao tecido da sociedade, cumprindo suas funções e sentindo-se útil. É nesses momentos que ele se reconhece em meio à crise produzida pela doença e, aos poucos, se adapta à nova realidade.

BARGANHA

O estágio da barganha identificado por Elisabeth se apresenta quando muitas das tentativas de negar a realidade não resultaram na tão esperada cura e a raiva não conseguiu demolir o muro inflexível da doença. A barganha aparece como uma tentativa de controlar a doença por meio de um comportamento digno de mérito. A expectativa é que, se o paciente se tornar uma pessoa boa, terá mérito suficiente para obter a cura. Esse comportamento lembra muito a criança que faz uma boa ação e se volta para a mãe em busca de aprovação e louvor. Isso acontece como se o paciente revivesse um momento de aprovação pelo olhar da mãe, como se ele procurasse a aprovação de que o caminho que está trilhando é o mais correto. Inevitavelmente, o paciente precisará lidar com o fato de que nem as pessoas boas demais, nem as que são más demais merecem uma doença grave. Um grave adoecimento acomete, cedo ou tarde, a maioria dos seres humanos, e seria muito injusto se tentássemos atribuir a noção de mérito ou demérito a alguém que está adoecido.

Quando crianças, muitas vezes aprendemos que só merecemos amor se agimos ou nos comportamos dessa ou daquela maneira. Essa é uma perspectiva deveras trágica do amor, que por vezes transpomos para a vida adulta. Aprendemos que só somos dignos do prêmio — que pode ser um sorvete ou uma viagem para a Disney — se formos bem-comportados diante dos primos, se fizermos o dever de casa ou se passarmos de ano com boas notas. Talvez essa seja a única referência que muitos de nós tivemos do amor — e de como nos tornamos dignos de recebê-lo. Quando recebemos o diagnóstico de uma doença grave, podemos repetir esse mesmo estilo de relação com o amor e as dádivas que experimentamos ao longo da vida. A diferença é que o resultado pode não ser o esperado; então, nesse momento, aprenderemos algo muito importante sobre a vida.

A recompensa de se tornar alguém digno é o sentimento de dignidade que surge no nosso coração — e nada mais. Tornar-se digno não tem nada que ver com obter pontos com Deus ou com a equipe de saúde. Tornar-se uma pessoa melhor apenas permite ao indivíduo experimentar-se como um ser humano em paz com seus valores. Ser uma pessoa melhor leva a um estado de felicidade e de aprovação em relação a si mesmo, mas não necessariamente a um estado de cura física. Ser melhor é o melhor projeto que podemos ter enquanto estamos vivos, mas se esse esforço estiver atrelado ao desejo de obter a cura, cedo ou tarde experimentaremos grande frustração.

Tivemos a chance de verificar que pessoas em situação gravíssima de adoecimento voltaram a gozar de saúde, mas isso pode se dar com pessoas boas e más. Talvez isso seja uma grande injustiça, mas o fato é que a vida desde sempre funcionou dessa maneira, e deve haver alguma sabedoria nisso. Elisabeth considerava que só morremos quando aprendemos as lições que deveríamos aprender, o que pode acontecer no nosso último suspiro. Tornar-se um ser humano melhor não poupará o sujeito das dificuldades inerentes a este mundo, mas poderá levá-lo a confrontar o fim da vida com a sensação de que viveu de forma plena. Assim, quando ele olhar para trás, poderá dizer: "Meu Deus, eu realmente vivi".

DEPRESSÃO

A *depressão* é o estágio em que predomina uma profunda tristeza, algo que Elisabeth identificou em muitos pacientes que entrevistou, mas não em todos. Elisabeth não falava da depressão clínica, o que seria um transtorno mental bem caracterizado, mas de uma forma de tristeza normal e esperada. É bom relembrar que nem todos os pacientes escutados por Elisabeth apresentaram todas as reações emocionais aqui descritas, mas que boa parte deles apresentou algum nível de tristeza no curso de seu adoecimento. Às vezes, a tristeza mais característica aparecia depois que os pacientes se davam conta de que nem mesmo lutando raivosamente ou barganhando com a vida a doença seria curada. Sentiam-se tristes porque todo o esforço fora, de certo ponto de vista, inútil. A tristeza que se instalava fazia que ficassem mais silenciosos, mais voltados para dentro do que para fora de si mesmos. Iniciava-se um tempo de fechar para balanço, de suspiros demorados e de maior quietude.

O tempo da tristeza permite que o paciente se esvazie para que, com esse esvaziamento, algo novo possa aparecer. É um tempo de abrir mão das expectativas de um passado melhor, de acessar um nível de consciência marcado pelo compasso da lentidão. Um tempo mais reflexivo, silencioso, em que as coisas internas são mais valorizadas que as externas. A pessoa se vê mais disponível para conversar sobre coisas que sejam significativas para ela. Mas a tristeza também pode se revelar uma companhia dolorosa, sobretudo se houver tarefas inacabadas, ressentimentos, mágoas ou culpas. Nesse tempo, ter alguém com quem confessar as culpas pode ser confortante, mas é fundamental que o interlocutor não entre na condição de juiz e se disponha a realmente escutar. Por vezes, esse tempo de tristeza permite que o paciente acesse sua sabedoria interna e aprenda a expor o que o incomoda; muitas vezes, o que essas pessoas precisam é tão somente de alguém que esteja ao lado delas. Estar ao lado é a melhor e a mais sofisticada maneira de ajudar alguém que está triste porque a morte se aproxima.

É esperado e socialmente aceito que aquele que perdeu um companheiro de muitos anos viva uma tristeza aguda, sobretudo nos primeiros dias que se seguem à perda. Porém, Elisabeth se espantava com o fato de haver pouquíssima tolerância para que o paciente diante da morte expressasse sua tristeza. É como se as pessoas, ao fim da vida, não pudessem chorar e lamentar, porque "tudo terminaria bem". A tristeza dos pacientes diante da morte quase nunca é respeitada, pois grande parte das pessoas não sabe como agir diante dessa tristeza lancinante. Agem como se precisassem consolar o paciente e dar um fim imediato ao seu sofrimento (como se isso fosse possível). Precisamos estar atentos às nossas emoções ao perceber a tristeza do paciente, segurando o ímpeto de querer acabar logo com ela. Devemos respeitar o momento necessário de quem passa pelo processo de morrer.

Dizer frases como: "Não fique assim, o dia está lindo", "Tudo vai acabar bem" e "Vai ficar com essa cara na frente da sua família?" pode aumentar a sensação de confusão e isolamento. Quando não sabemos o que dizer ou fazer, devemos optar pelo silêncio. Silenciar é o melhor ato de amor que podemos realizar quando não sabemos se as palavras que vamos proferir, ou as ações que pretendemos realizar, vão de fato ajudar.

LUTO ANTECIPATÓRIO

Em 1944, Erich Lindemann cunhou o termo "luto antecipatório" para se referir às mulheres que viam os companheiros indo para a guerra e vivenciavam incertezas que provocavam reações de luto, mesmo sem que a morte tivesse acontecido. [10] Elisabeth também falava no luto antecipatório, estágio que ela identificou em muitos pacientes que já haviam experimentado profunda tristeza, mas iniciavam um processo de despedida de tudo e de todos. Nesse tempo preparatório para a despedida final, os pacientes pediam para ficar na presença exclusiva de pessoas muito íntimas, e que as inúmeras visitas de pessoas mais distantes ou de amigos de infância fossem restritas.

Depois de atravessar um processo de negação, lutar raivosamente contra o seu destino e barganhar com a vida, o processo de tristeza leva o indivíduo a se dar conta de que a vida está chegando ao final — de que um momento de balanço é necessário —, e novos significados são atribuídos ao momento vivido. Aquele que vive o luto antecipatório pode acessar um amor pleno pela família, pelas conquistas, pelos amigos, pelos seus feitos... Por isso, há uma despedida progressiva do que foi fundamental durante a existência.

Por outro lado, há pacientes que vivem esse momento com angústia, raiva, ressentimentos, culpas — ou até mesmo tarefas inacabadas — e encontrarão grande dificuldade de receber e dar amor. A avaliação da própria vida pode fazer que experimentem o sabor amargo dos arrependimentos, ou de um profundo sentimento de indignidade e inutilidade. O fato é que uma vida baseada no amor é o mais poderoso antídoto para esse quadro tão doloroso, e é isso que nossos pacientes ao fim da vida têm nos ensinado como legítimos professores.

Do ponto de vista do paciente, um elemento fundamental no processo de luto antecipatório é a possibilidade de construir significados acerca do próprio adoecimento e do sentido da sua vida. Para a família, pode ser um tempo todo especial de redefinição de papéis e de preparação cognitiva e emocional para a despedida. Ainda assim, é possível encontrar forças para permanecer ao lado do paciente até o fim.

ACEITAÇÃO

O estágio da *aceitação* é marcado, segundo Elisabeth, pela compreensão cognitiva e pelo desenvolvimento de recursos internos para lidar com a proximidade da morte. É um tempo em que predomina a paz; um estado de amorosidade e entendimento, que pode ser marcado inclusive por genuína felicidade. É quando o paciente se coloca com coragem diante da vida que ainda lhe resta, por meio do amor e da entrega ao desconhecido. Não necessariamente há plena resignação, mas não há mais resistências por parte do paciente para compreender e aceitar o seu destino. Aos poucos, a pessoa adoecida se volta cada vez mais para sua realidade, passando a ver com clareza que sua situação de saúde piora aos poucos. O paciente começa a desenvolver recursos para lidar com a consciência da finitude, a avaliar o seu legado e a se projetar para o futuro por meio das lembranças de quem permanecerá vivo.

Esse estágio é muitas vezes cercado de solidão e incompreensão, pois nossa cultura preconiza que diante da morte o paciente lute pela cura até o fim. Não se espera que ele se entregue ao fluxo natural da correnteza da vida e da morte. Porém, muitos pacientes chegam a esse estado de amor e entrega — o maior ato de entrega que vão realizar na vida — e partem para o desconhecido com os olhos cheios de gratidão e um profundo senso de missão cumprida.

DECATEXIA

A *decatexia* é o estágio caracterizado pelo desinvestimento emocional da vida, ou seja, por um progressivo desinteresse pelas coisas antes valorizadas. Se antes o paciente encontrava prazer ao se distrair conversando sobre amenidades, nesse estágio ele vai perdendo o interesse pela vida externa. Os momentos de sono e descanso aumentam e o paciente reduz cada vez mais suas necessidades, para manter apenas aquelas mais básicas. Ele come cada vez menos, mas isso também não é regra, pois há aqueles que continuam comendo até os últimos dias de vida. Às vezes, o que os pacientes buscam ao abrir os olhos é verificar se há alguém cuidando deles, mas logo em seguida voltam para si mesmos. Aos poucos, se não houver interrupções, o processo do morrer segue seu curso e o indivíduo adoecido transita da vida para a morte num processo íntimo e silencioso, retirando-se aos poucos do palco do mundo.

Ao escutar as pessoas diante da morte e tomá-las como professoras, Elisabeth elaborou a síntese que vimos neste capítulo, a fim de familiarizar o público leigo e profissional com as necessidades emocionais e existenciais desses pacientes. Na próxima parte deste livro, abordaremos nosso projeto de recolocar as pessoas diante da morte no centro da discussão. Falaremos também de como almejamos levar adiante o legado de Elisabeth em nosso país, reproduzindo a sua experiência histórica tão exitosa.

Parte II
O paciente como professor: encontros, experiências e aprendizados

5.
Vivendo uma realidade inesperada

> *Não é o crítico que importa; nem aquele que aponta onde foi que o homem tropeçou ou como o autor das façanhas poderia ter feito melhor. O crédito pertence ao homem que está por inteiro na arena da vida, cujo rosto está manchado de poeira, suor e sangue [...].*
> Theodore Roosevelt, *Cidadania em uma República*

Representar Elisabeth Kübler-Ross no Brasil é algo tão inimaginável que começamos a realizar esse trabalho com surpresa e certa ingenuidade. Não sabíamos o tamanho do empreendimento que estava à nossa frente. O convite para levar adiante o legado de Elisabeth veio carregado de muitas emoções e lembranças de como foi a construção desse caminho profissional, ao longo de nosso aprendizado. Nem sequer em nossos melhores sonhos poderíamos imaginar aonde isso nos levaria. Desejávamos fazer nosso trabalho com certa originalidade, sem desconsiderar toda a contribuição tão conhecida dessa importante autora.

Havíamos acabado de assinar os termos contratuais para abrir uma filial brasileira da fundação que leva o nome de Elisabeth, cuja sede central fica nos Estados Unidos. Sentíamos que precisávamos fazer alguma coisa para torná-la mais conhecida no Brasil, corrigir certas concepções equivocadas sobre suas obras e ampliar o acesso das pessoas ao seu verdadeiro legado. Era uma tarefa gigantesca, que aceitávamos com um misto de entusiasmo, senso de responsabilidade e a perfeita noção de que seríamos apenas um canal entre Elisabeth e as pessoas que se interessam pelo trabalho dela.

Já era fim da tarde, e tomávamos café com *brownie* numa cafeteria de Copacabana, na zona sul do Rio de Janeiro. Desejávamos refletir juntos sobre o nosso ponto de partida nessa trajetória. Algumas das perguntas que nos fazíamos: por onde começar? Como tratar da obra dessa importante pioneira com ética? Como ampliar a compreensão desse legado? Como promover um diálogo entre a obra de Elisabeth e os estudos contemporâneos sobre a morte, o morrer e o luto? Como demonstrar a sua atualidade? Ainda saboreando o café e o *brownie*, demo-nos conta de algo simples: replicaríamos o modelo sensacional de Elisabeth, transformando pacientes em nossos professores. Para nossa alegria, saímos daquela cafeteria com parte dessas perguntas respondidas e algumas calorias a mais.

Nosso desejo era não apenas recolocar os pacientes no centro da discussão, mas também ensinar os profissionais a acessar os valores de cada um deles e de sua família. Queríamos ensiná-los a acessar a expertise do paciente sobre o seu processo de adoecimento, de modo que seu conhecimento e sua visão de mundo fossem integrados ao seu tratamento clínico. Em síntese, desejávamos propor uma fusão entre a prática da medicina baseada nas melhores evidências com a medicina fundamentada nos valores de cada paciente — uma abordagem profissional que tivesse a humildade de compreender que cada ser humano diante da doença é único. É por essa razão que toda forma exclusivamente protocolar de cuidados cedo ou tarde fracassa. Estamos falando de uma equação entre a ciência e a humanidade, a técnica e a singularidade.

Nessa mesma tarde, rascunhamos o projeto de um curso, que ofereceríamos pelo capítulo brasileiro da Fundação Elisabeth Kübler-Ross. Iniciamos a programação por uma parte teórica, para que pudéssemos tratar dos princípios das conversas com pessoas diante da morte; como cuidar dos que estão morrendo sem se esquecer de cuidar de si; como fazer uma exploração ativa dos valores de cada pessoa gravemente enferma e de seus familiares e integrar esses valores a um tratamento multidisciplinar. A essa altura, podíamos imaginar o aprendizado que os pacientes-professores transmitiriam aos nossos alunos, mas não tínhamos ideia do impacto que esse aprendizado geraria na vida dos alunos — e na nossa. Direta ou indiretamente, nossos pacientes diante da morte produziram grandes transformações. Mais adiante, registraremos as lições que ainda hoje reverberam no cotidiano profissional desses alunos.

REPRODUZINDO OS SEMINÁRIOS SOBRE A MORTE E O MORRER

Antes de iniciar a divulgação de nosso projeto, contatamos diversos pacientes gravemente enfermos e familiares enlutados para consultá-los sobre sua disponibilidade de ser nossos professores. Temíamos que a reação fosse de recusa, mas para a nossa surpresa nunca deparamos com uma negativa sequer. O convite é muito simples, formulado quase sempre nos seguintes termos: "Você aceitaria ser professor de profissionais de saúde que desejam aprender com a sua experiência a melhor maneira de cuidar?"

Alguns dos pacientes se sentiram emocionados com o convite, sobretudo quando julgavam não ter mais nada a oferecer ao mundo. Depois de apontar os requisitos éticos da entrevista — como o sigilo absoluto —, explicávamos que se tratava de uma participação com finalidade estritamente didática, a fim de que pudéssemos aprender com eles tudo que julgavam importante partilhar conosco sobre os seus cuidados.

Uma paciente com câncer de mama avançado que contatamos disse: "Será que estarei viva até lá? Eu gostaria muito, pois sinto que poderei ajudar outras pessoas". Muitos pacientes ou familiares se sentiam surpresos, e num primeiro momento perguntavam: "Mas o que eu vou ensinar para vocês?" Explicávamos que gostaríamos de compreender sua experiência de adoecimento, a maneira como percebiam o desenrolar dos acontecimentos, como observavam os que cuidavam deles e a maneira pela qual faziam isso. Desejávamos proporcionar um espaço para que se sentissem à vontade para dividir conosco seus medos, esperanças e valores de vida.

Muitos dos pacientes chegavam por vezes algum tempo antes do combinado, ansiosos para partilhar suas experiências e se fazer ouvir. Nós os recebíamos do lado de fora da sala, sentávamo-nos com eles e procurávamos nos certificar de que estavam bem para a entrevista, mas nunca houve um único paciente que nesse momento tenha voltado atrás em seu desejo de partilhar sua experiência. Então, voltávamos para a sala e avisávamos a turma de que o professor da noite já havia chegado, recordando todos os contratos éticos — inclusive o sigilo e a exigência de um silêncio rigoroso. Ninguém poderia gravar nada, comentar fora dali as entrevistas, fazer perguntas ao paciente ou contatá-lo fora das aulas, por qualquer meio. Essas exigências nunca foram desrespeitadas e se mostraram muito importantes para o sucesso da experiência pedagógica.

Como estávamos em dupla, dividíamos as tarefas da seguinte maneira: Rodrigo conduzia a entrevista com o paciente e Daniela ficava atenta à turma, sobretudo aos alunos que eventualmente não conseguiam ficar na sala das entrevistas por questões emocionais. Formamos uma dupla de cuidados com pacientes e alunos, o que se manteve em todas as entrevistas realizadas até hoje.

As turmas do curso variavam entre 20 e 60 alunos — mais da metade era composta de médicos, sobretudo aqueles com experiência em cuidados paliativos, psiquiatria e medicina de família e comunidade. Também se integraram a nós assistentes sociais, psicólogos, terapeutas ocupacionais, voluntários, fisioterapeutas, musicoterapeutas. E, ainda, arquitetos, engenheiros, historiadores, donas de casa, bibliotecárias, universitários e leigos. Como desejávamos ampliar o debate, julgávamos que todas as pessoas com interesse no assunto eram bem-vindas. Temos realizado esse mesmo curso em formato de workshop de finais de semana, em diversas cidades do Brasil. Já contabilizamos mais de 700 alunos e quase uma centena de pacientes entrevistados, de ambos os sexos, com as mais variadas condições clínicas e diagnósticas, em diversas fases do adoecimento ou do processo de luto. Também entrevistamos profissionais que nos ensinaram a ver a vida onde muitos só veem a morte.

Uma das entrevistas, conduzida com uma mulher de meia-idade que perdera três filhos em situação tão delicada, produziu grande emoção nos alunos, e alguns deles não suportaram estar presentes até o fim da entrevista. Fomos descobrindo, dessa forma, quanto era importante estar atento às reações emocionais evocadas nos alunos. Como fazia parte da proposta do curso solicitar aos alunos que exercitassem ficar atentos a essas emoções, para muitos dos presentes era a primeira vez que se davam conta das próprias tarefas inacabadas e dos lutos mal elaborados. Percebemos que a atividade pedagógica tinha, como efeito colateral, o fato de conectar os alunos consigo mesmos e, por isso, o próximo passo era indicar a importância de cada um deles buscar seu espaço de cuidado para lidar com essas questões.

O PACIENTE COMO PROFESSOR

Durante as entrevistas, tínhamos o cuidado de só mencionar as palavras "morte" ou "morrer" depois que os pacientes as tivessem pronunciado, e procurávamos observar os sinais que nos indicavam se eles tinham ou não condições de avançar na narrativa de certas áreas da vida. Quem nos apontava o caminho eram eles. Todos os pacientes apresentavam grande bem-estar e um sentimento de utilidade ao se tornarem professores. Sentiam que sua vida tinha significado e que ainda valiam alguma coisa, apesar do avanço da doença e do crescente número de perdas enfrentadas. Ao ser convidados a se colocar como professores diante de uma turma de profissionais da área da saúde, sentiam que estavam produzindo um legado.

Então, convidamos os pacientes gravemente enfermos ou seus familiares enlutados para ser nossos professores. Mas o que isso significa? Não se trata de pedir que eles nos ensinem a cuidar, em termos genéricos, de pessoas que enfrentam a morte, o morrer ou o luto, mas que nos ensinem a cuidar deles próprios. Cada paciente pode se tornar o mestre de como cuidar de si mesmo, porque pode nos ensinar sobre o tratamento que faz mais sentido para ele.

Essa atitude o recoloca no centro do cuidado, unindo o melhor do conhecimento científico com o que faz sentido para cada um. Captar a singularidade de cada paciente e produzir um cuidado multiprofissional único, que considere seus valores e suas características: eis a essência dos cuidados defendidos por Elisabeth Kübler-Ross.

Essa experiência tem nos ensinado que escutar as pessoas diante da morte não é fácil para ninguém, pois a dedicação a esse ofício evoca em cada um de nós uma série de reações emocionais que precisam ser percebidas e cuidadas com muita atenção. É sobre isso que falaremos a seguir.

TRANSFERÊNCIA E CONTRATRANSFERÊNCIA DIANTE DA MORTE E DO MORRER

O paciente, quando se torna nosso professor, nos ensina o tipo de cuidado que faz sentido para ele. Sorrisos, respostas sinceras, um abraço e outras demonstrações de respeito fazem parte daquilo que muitos deles consideram relevante para continuar o tratamento. Eis alguns exemplos do que muitos dos nossos pacientes costumam falar. E que revelam que eles dirigem para nós emoções e sentimentos dos mais variados, os quais podemos chamar aqui de transferência.

"Doutor, quando olho para seus olhos, vejo a sabedoria e o olhar do meu avô."
"Eu sabia que se internasse minha mãe vocês iam conseguir acabar de matar ela."
"Que bom que você chegou, doutora. Ele só quer ser atendido pela senhora."
"Não me leve a mal doutor, mas eu odeio médico e hospital."

São muitas as formas de transferência, positiva ou negativa, que um paciente ou familiar pode desenvolver pelo profissional de saúde, ou até mesmo pela instituição. Imaginemos uma cena: um profissional de saúde se aproxima de um paciente moribundo. O paciente passa a expressar emoções e sentimentos em relação a esse profissional, ainda que não o conheça nem saiba nada sobre a sua vida íntima. Ele possivelmente verá no profissional uma representação da referência que ele tem de quem cuida de pessoas que estão morrendo, ou seja, já espera que o profissional aja de determinada maneira. É por essa razão que o profissional deve estar atento à maneira como o paciente reagirá à sua presença.

Por outro lado, chamamos de contratransferência quando o próprio profissional de saúde faz esse mesmo movimento de projetar suas referências no paciente ao se lembrar de tantos outros com o mesmo diagnóstico — ou daquela "senhorinha do leito 4", que o lembra tanto da sua avó que faleceu sem que ele tivesse a chance de cuidar dela. Intimamente, só ele sabe quão gratificante é poder oferecer a essa paciente o seu cuidado, como se fosse uma nova chance de cuidar da avó. Difícil, embora necessário, é iniciar o exercício de estar atento às próprias reações emocionais despertadas na contratransferência.

Inúmeros profissionais que trabalham com pessoas muito enfermas e suas famílias não percebem as formas sutis de "contratransferência" que podem surgir na prática clínica com pessoas ao fim da vida. Muitos se sentem frustrados, angustiados, "como se tivessem um aperto no peito", ou uma sensação que não sabem ao certo qual é nem de onde vem. Emocionalmente, os cuidadores podem reagir com um senso vago ou agudo de desesperança, culpa ou até mesmo ressentimento de seus pacientes — ou com uma mistura desses e de outros sentimentos complexos que são difíceis de identificar. Cognitivamente, podem ficar preocupados com questões diagnósticas, pegam-se pensando de forma pejorativa em determinados pacientes ou se distraem ou sonham acordados durante o contato com os enfermos e outros envolvidos no caso. E, comportamentalmente, podem minimizar o contato com os pacientes ou "esquecer" consultas, concentrando-se em intervenções mecânicas ou desempenhando um papel recíproco para o paciente — por exemplo, ao reagir na defensiva às críticas sobre seus esforços.

De modo paradoxal, a contratransferência também pode levar profissionais em direção ao "heroísmo terapêutico" — talvez na forma militante de defesa de determinado paciente diante de um sistema de saúde falho, ou sempre "dando o próximo passo" em nome do cuidado dos pacientes, a ponto de atingir a exaustão física ou psíquica. O que todas essas e outras reações têm em comum é que são respostas mais ou menos automáticas a situações clínicas que, de alguma forma, acionam nossos "botões" pessoais ou nos emocionam, de maneira que nem sempre conseguimos entender, prever ou controlar. Todos nós, ligados ao trabalho clínico que envolve a perda iminente ou o luto, reconhecemos a infinidade de tais reações em nossos alunos, colegas e, claro, em nós mesmos. Uma pergunta importante, que nasce dessas reflexões, é: será que nossas reações emocionais, diante dos cuidados do fim da vida, nos tornam mais vulneráveis, levando-nos a crer que estamos atendendo às necessidades dos pacientes, quando na verdade estamos atendemos a nós mesmos?

De início, o conceito de transferência foi introduzido por Freud para designar um processo constitutivo do tratamento psicanalítico, mediante o qual os desejos inconscientes do analisando, relativos aos objetos externos, passam a se repetir no âmbito da relação analista-paciente. [11] No âmbito da psicanálise, a contratransferência se referia à projeção de conflitos não resolvidos por parte do analista em relação ao analisando, implicando uma reação explícita à transferência. Ao longo dos anos, no entanto, tais definições ampliaram-se: hoje, abarcam a totalidade dos sentimentos experimentados pelo paciente em relação ao profissional de saúde, e vice-versa — seja consciente ou inconscientemente, seja solicitado pela dinâmica do cliente ou por problemas ou ocorrências na vida do profissional de saúde.

A contratransferência é considerada uma reação emocional inevitável; é a base para a compreensão de uma relação mais profunda entre o paciente e o profissional de saúde. No final da vida, profissionais de todas as disciplinas e níveis de experiência estão sujeitos a reações fortes ao seu trabalho. Essas respostas não se resumem a categorias como "fadiga da compaixão" ou "síndrome de *burnout*". Algumas delas se originam no profissional, outras "pertencem" ao paciente (mas são consciente ou inconscientemente incorporadas pelo profissional de saúde). Outras, ainda, pertencem a essa "alquimia", a esse "espaço" que toma lugar na relação entre o profissional de saúde e o paciente.

O contexto da morte e do morrer evoca importantes questões para um espaço único de pensamentos e práticas. A contratransferência às respostas emocionais de pacientes e familiares pode ser complexa e, muitas vezes, deveras sutil em suas manifestações. Ela sempre afeta toda interação, toda discussão teórica, todo trabalho de diagnóstico e todo o plano de tratamento.

Se formos psicólogos em escritórios privados que lutam para sustentar um ambiente compassivo para aqueles que sofrem perdas e traumas profundos; se formos médicos lutando com as palavras verdadeiras que vão diminuir a esperança nos olhos dos pacientes; se formos assistentes espirituais ou assistentes sociais nos esforçando para ajudar os pacientes a construir uma vida digna; se formos administradores e professores de programas de residência trabalhando duro para preparar e apoiar aqueles que estarão na linha de frente do cuidado — todos nós precisamos compreender esse sutil, mas complexo processo, que influencia o nosso trabalho todos os dias.

Por exemplo, você reconhece algum dos seguintes exemplos?

1 A assistente social católica conservadora cujo pai se matou quando ela tinha 12 anos — como ela "ajuda" uma família em sua decisão de suspender todos os antibióticos e tubos de alimentação do pai de 45 anos de idade, que agora está com morte cerebral?

2 O jovem médico, excelente paliativista, que perdeu a mãe há oito anos e agora cuida de uma mulher ao fim da

vida com a mesma idade da mãe. Ela tem o mesmo nome da mãe dele e, apesar de todos os esforços da equipe, apresenta um quadro de dor severa e incapacitante e não consegue obter alívio adequado para os seus sintomas. Como ele inicia a sedação paliativa?

3 A médica paliativista que tem obtido sucesso em todos os casos com os quais teve contato — como ela "ajuda" a paciente que, mesmo bem paliada, não deixa de expressar seu desejo de apressar a própria morte?

Acreditamos que entender os processos de contratransferência é inestimável em todas as relações terapêuticas, e o trabalho com pacientes e famílias no final da vida não é exceção. Assim, neste livro, usamos o termo contratransferência como uma "abreviatura" para a totalidade de nossas reações — emocionais, cognitivas e comportamentais — ao trabalho, seja induzida por nossos pacientes, pela dinâmica que cabe à nossa parte nos relacionamentos ou por nossas experiências de vida.

Nossas reações reais, muitas vezes intensas, apontam que há uma interface pessoal-profissional entre nossa vida, nossas tarefas e nossas interações profissionais. No entanto, quantos de nós aproveitamos para refletir sobre a convergência entre nossa vida pessoal e a dos pacientes com os quais trabalhamos? Quantos de nós fomos treinados para parar, respirar e refletir sobre a dinâmica que pode estar nos afetando nesse trabalho tão privilegiado? Como ter certeza de que estamos tomando as decisões mais corretas em nome dos pacientes se não examinarmos as múltiplas facetas que afetam nossa conduta?

É comum o discurso de que devemos evitar um envolvimento pessoal com os pacientes ao fim da vida, e que seria possível se proteger a uma distância segura. Ao contrário, propomos que nosso trabalho profissional com o morrer e o processo de luto é de natureza pessoal, que somos profundamente influenciados pelos pacientes e por suas famílias, tanto quanto eles são influenciados por nós, e que nossas respostas emocionais afetam o processo de cuidado — queiramos ou não, estejamos conscientes ou não.

E aí está o xis da questão. Até pouco tempo, teóricos do fim da vida, clínicos e professores dedicaram grande esforço para compreender e avaliar um membro do relacionamento terapêutico: o paciente. Com o advento da física quântica, no entanto, a definição de entidade, de experiência e até mesmo de unidade mudou. Explorações científicas de objetividade e subjetividade revelaram descobertas fascinantes do que há muito tem sido entendido pela Gestalt: o todo é maior do que a soma de suas partes. Tais descobertas exigem que enfrentemos o fato de que nós, como "especialistas", não podemos nos separar responsavelmente desse todo — nem da relação alquímica que ocorre quando dois indivíduos se envolvem no que é, talvez, o momento mais vulnerável da existência de um ser humano: o fim da vida.

Assim, cabe-nos analisar nossa parte da díade. É fundamental examinar o que trazemos para o relacionamento profissional de saúde-paciente e, inversamente, como aquilo que recebemos do paciente nos afeta. Quando ficamos atentos a isso e exercitamos essa atitude, revelam-se momentos desconfortáveis, até embaraçosos, que influenciam ações e resultados em nosso trabalho. Perceber tais movimentos pode revelar o quanto interações, diagnósticos, recomendações de tratamento e afins não foram tão objetivos e úteis quanto apostávamos. Mas perceber tudo isso pode também ser uma fonte deveras privilegiada de informações sobre nós mesmos, que quase sempre ignoramos.

Ao admitir nossas fraquezas profissionais (influenciadas por nossas histórias de vida, referências e experiências), esperamos encorajar outros profissionais que trabalham em cuidados de fim de vida a confrontar e examinar sentimentos como negação, medo, desamparo, amor, coragem, alegria, esperança, entusiasmo, bem como sua necessidade de controlar, curar e salvar e "fazer o bem" (ou ocupar a sedutora posição da Síndrome do Anjo, como veremos mais adiante). Nessa dinâmica, devemos examinar, por exemplo, como os praticantes do excesso de cuidado tornam os pacientes e seus familiares dependentes deles; como sentimentos pessoais, preconceitos culturais e religiosos contribuem para o diagnóstico, o encaminhamento e a intervenção inadequados; e por que o tratamento é prolongado com alguns pacientes e terminou muito cedo com os outros.

Reações especiais de contratransferência precisam ser analisadas e devidamente cuidadas em situações de morte, abuso, erro médico, complicações médicas em virtude de negligência familiar, tentativas de suicídio, abandono do tratamento, desejo do paciente de apressar a própria morte, desastres, tragédias e tantas outras.

Assumir a responsabilidade de examinar como influenciamos o paciente e como ele nos influencia, bem como fazer um balanço de nossas ações profissionais: eis um tópico que está muito atrasado na área de saúde como um todo, inclusive na área de cuidados paliativos e cuidados no fim da vida.

No próximo capítulo, conheceremos as lições que nos foram dadas pelos pacientes que tivemos a honra de entrevistar em nossos seminários. As entrevistas foram transcritas com muito cuidado, e tivemos o zelo de modificar certas partes das histórias que, por uma razão ou outra, não poderiam vir à lume, assim como os nomes e alguns dados que dariam pistas de sua identidade.

Parte III
Viver até morrer

6.
Sentido de vida

Não importa o que fizeram de mim; o que importa é o que eu faço com o que fizeram de mim.
Jean Paul-Sartre, *O existencialismo é um humanismo*

Havia uma expectativa no ar, e a turma de profissionais e alunos presentes se perguntava quem seria o próximo professor, como ele se apresentaria, se viria de cadeira de rodas, de maca, se aparentaria estar muito adoecido ou se estaria conectado a tubos ou sondas. Alguns nos confessaram que se perguntaram, antes de o paciente entrar na sala, se haveria algum risco de ele não chegar vivo ao final da entrevista. Esperavam um paciente moribundo, caquético, sem forças, com fadiga, e quem sabe necessitando do apoio dos familiares. De repente, entrou na sala uma mulher linda, maquiada, com calça de couro e salto alto. Não aparentava ter mais do que 30 anos, e parecia esbanjar uma saúde invejável, própria da juventude. O nome dela era Gabriela.

Ela chegou cheia de vida e se apresentou contando sobre sua experiência ao receber o diagnóstico de câncer de mama avançado, com metástase cerebral e nos pulmões. Na época, ela era casada e trabalhava numa agência de modelos, onde recebeu o diagnóstico. Gabriela falou sobre esse momento da vida nos seguintes termos:

Entrevistador — *Como foi receber seu diagnóstico?*
Gabriela — *Uma surpresa. Achava muito difícil ser câncer, eu tinha 28 anos.*
Entrevistador — *O que foi mais difícil?*
Gabriela — *Ter toda uma vida pela frente e sentir tudo desmoronar. Ter todo mundo resolvendo a minha vida, e eu no papel de um personagem coadjuvante.*
Entrevistador — *Todo mundo resolvendo a sua vida?*
Gabriela — *Sim, eu era realmente paciente, mesmo antes do câncer.*
Entrevistador — *Como assim?*
Gabriela — *Deixava todo mundo decidir sobre a minha vida, não tinha luz própria. Naquele dia do diagnóstico, fui até o médico da agência onde eu trabalhava, porque ele tinha o resultado do exame que eu fiz. Eu descobri no trabalho que tinha câncer.*
Entrevistador — *No trabalho?*
Gabriela — *Sim, lá mesmo. Eles cuidavam da gente lá, tinha uma equipe de saúde para os funcionários, e levei o resultado dos exames lá mesmo para ele ver. Ele disse que era um carcinoma invasivo de mama, mas naquele momento eu não entendi muito bem.*
Entrevistador — *O fato de ser carcinoma disse alguma coisa para você?*
Gabriela — *Não me disse nada.*
Entrevistador — *E de ser um câncer invasivo?*
Gabriela — *Disse sim, foi exatamente com isso que me preocupei.*
Entrevistador — *Com o que você se preocupou?*
Gabriela — *Que tudo seria muito difícil, pelo fato de ser invasivo.*
Entrevistador — *O que foi mais difícil?*

Gabriela — *Todo mundo ficou esperando na agência para que eu viesse contar o diagnóstico.*
Entrevistador — **O que todo mundo que ficou esperando na agência diz para você sobre todo mundo?**
Gabriela — *Dizia que eles se importavam comigo, que estavam interessados.*
Entrevistador — **E como foi para você?**
Gabriela — *Foi bom, por saber que eu não estava sozinha, mas me incomodou porque foi invasivo. Tudo era invasivo.*
Entrevistador — **Tudo era invasivo?**
Gabriela — *Sim, assim como o meu casamento, que era muito abusivo.*
Entrevistador — **Abusivo como?**
Gabriela — *Meu ex-marido tentava me controlar o tempo inteiro, e dizia que isso era amor. Foi uma fase muito difícil da minha vida, muito mesmo.*
Entrevistador — **E como era isso para você?**
Gabriela — *Eu queria que ele brilhasse, e não eu.*

Gabriela revelou a surpresa diante de a possibilidade da morte se associar à sua juventude. Apresentou uma reação inicial de incredulidade e choque, que não durou muito e cedeu lugar para uma sensação de desmoronamento. O impacto inicial deu lugar a uma reação emocional muito conhecida de Gabriela: a de sujeitar-se sem reclamar às situações da vida, tornando-se uma "personagem coadjuvante". Ela não apresentou raiva, indignação, não questionou o diagnóstico, apresentando-se sem vontade de assumir o controle da própria vida e de ocupar o papel principal. É importante destacar que Gabriela agiu dessa maneira ao longo de toda a sua história, porque até aquele momento sentia que devia aguardar que os outros decidissem por ela. O mais difícil para Gabriela, ao receber a notícia, foi se dar conta de como aquele processo invasivo era uma fonte permanente de mal-estar, e o que ela temia era lidar com o ônus de continuar sendo tratada dessa maneira.

Entrevistador — *Teve algum medo?*
Gabriela — *A possibilidade de poder não ter filhos me apavorou.*
Entrevistador — *O que te apavorou nisso?*
Gabriela — *Eu não sabia se queria ter filhos, mas a partir de então eu sabia que era impossível, e perder essa possibilidade me trouxe muito medo.*
Entrevistador — *Teve algum outro medo?*
Gabriela — *Meu casamento...*
Entrevistador — *O que tem seu casamento?*
Gabriela — *Pode falar de tudo mesmo, né? É uma questão relacionada à finitude mesmo...*
Entrevistador — *Sim, de tudo que você quiser.*
Gabriela — *Foi olhar para a minha finitude e perceber que a vida que eu tinha não era uma vida pra mim, havia muito tempo que era assim. Eu não tinha luz para mim, era sempre para os outros, e tive medo de que a minha vida terminasse dessa maneira. Sem brilhar.*
Entrevistador — *E o que você fez a respeito disso?*
Gabriela — *Eu brilhei.*

Gabriela se confrontou com a possibilidade da morte e redescobriu um sentido mais profundo para a sua vida. Não fazia mais sentido para ela atender às expectativas dos colegas de trabalho, do marido, da família, dos conhecidos, mas ela viu nascer em si um sentimento de urgência em atender às próprias necessidades existenciais, havia muito tempo esquecidas. A confirmação do diagnóstico provocou em Gabriela uma crise de sentido, e ela se questionou se valia a pena continuar sendo a mesma pessoa no pouco tempo de vida disponível, sacrificando partes importantes de si mesma. Ela sentiu nascer em si a necessidade de se lançar para o desconhecido e de se tornar uma pessoa completamente diferente.

Entrevistador — *E o que você fez a partir de então?*
Gabriela — *Eu saí do armário paliativo.*
Entrevistador (gargalhando) — *O que é o armário paliativo?*
Gabriela — *Eu descobri que posso brilhar como paciente paliativa. O que me ensinaram foi a manter a autonomia, e que eu sou dona da minha vida.*
Entrevistador — *Então, você é dona da sua vida.*
Gabriela — *Sim, inclusive quando eu entro no meu carro, eu me sinto praticando isso, sabe? Sinto que é um momento meu, isso me dá muita força, e eu gosto muito de ter tempo pra ficar sozinha. Quando dirijo, eu me sinto autônoma, dona do volante da minha vida, seguindo o meu destino.*
Entrevistador — *Entendo. Parece que dirigir sozinha é um recurso que você tem. E com quem mais você conta para lidar com tudo isso?*
Gabriela — *Aaaaaaaaaah, eu tenho as miga, né? São as amigas bagaceiras, que também tem câncer e gostam de baladas, como eu. Quando meu médico diz que estou com apenas 500 leucócitos, e naquele dia tem uma festa, a gente junta várias migas de 500 leucócitos e dá uma pessoa completa... partiu festa!* (silêncio prolongado, sustentado pelo entrevistador) *Tem também os meus pais, que estão sempre aqui comigo. Nossa! Falando para vocês aqui, eu me dei conta de que mudei...*
Entrevistador — *Mudou como?*
Gabriela — *Contando a minha história pra vocês, eu me dei conta de quem eu me tornei, de como mudei...*

Entrevistador — *Do que você se deu conta?*
Gabriela — *De como eu fui aprendendo a brilhar e a deixar de ser submissa. Hoje, ninguém manda na maneira como eu vivo.*
Entrevistador — *Descobrir outras realidades a fortaleceu?*
Gabriela — *Sim, muito. O que está acontecendo agora é vida. Meu médico é muito bom, ele sabe o que é bom pra mim, mas isso porque ele perguntou pra mim o que faz sentido pra minha história. Eu decido junto com ele, ele também me compreende, e isso fez uma mudança e tanto na minha vida. Ele entende o que é importante pra mim, compreendendo quando eu preciso ir a uma festa e adiando o começo de uma nova quimio ou um novo tratamento qualquer. Eu fico me perguntando por que não acontece assim com todo mundo, por que o médico não tenta saber da vida daquela pessoa?*

Ao afirmar que estava saindo do "armário paliativo", e ao descobrir o seu brilho próprio e sua autonomia como paciente, Gabriela começou a exercitar um novo modo de ser, que alcançou outras áreas da sua existência. Antes, ela não tinha coragem de dirigir sua vida e julgava que deveria ser quem os outros esperavam que ela fosse. Agora, ela se descobriu autônoma, e um de seus momentos favoritos é dirigir sozinha. Assim como ter momentos de solidão é importante, Gabriela também destacou sua rede de apoio social, valorizando as pessoas e as oportunidades que a fazem se sentir viva. E tudo isso foi possível porque Gabriela pôde contar com o auxílio e a cumplicidade de seu médico, por meio de uma parceria de corresponsabilidade que foi sendo construída ao longo do seu processo do cuidado.

Entrevistador — *Se a sua parte mais sábia pudesse falar para profissionais de saúde que nos assistem, o que ela diria?*
Gabriela — *Ela diria para eles reclamarem menos e amarem mais hoje, enquanto estão aqui. Eu vejo muita gente reclamar.*

Certa vez, uma pessoa se virou pra mim e disse: "Coitada, você tem câncer". Eu respondi: "Coitadinha de você, que está saudável e reclamando da vida!" A gente tem pouco tempo, e precisa aprender a reclamar menos.
Entrevistador — *Entendo.*
Gabriela — *E tem mais... Também teve uma mulher com câncer de mama. Ela era mãe, e estava lamentando que talvez não visse a criança dela crescer, o filho dela ficar adulto, e se perguntava: "Será que eu não vou ver ele ficar adulto?" E eu disse: "Olha para ele agora, ele está crescendo agora, basta você olhar para ele". Então, se a gente ficar olhando muito para o futuro perde as coisas boas que estão acontecendo agora, sabe? O filho dela estava crescendo naquele momento, bastava que ela olhasse para ele e não perdesse mais nem um minuto se lamentando.*

Analisar a entrevista de Gabriela permite perceber que o seu processo de amadurecimento ainda estava em curso, e que a confrontação com a possibilidade da morte não foi nada fácil. Talvez possamos pensar que a mudança notada em Gabriela é algo natural, mas realizar tal transformação exige que a própria pessoa trilhe um caminho de abnegação em relação a quem ela é — só então ela conseguirá se reconstruir. Isso exige que a própria pessoa se veja com tanta sinceridade que, mesmo diante da insegurança de deixar de ser quem sempre foi, encontre forças para seguir em frente e permitir que um novo eu surja. Antes de receber o diagnóstico de câncer, Gabriela não se percebia e não se dava conta de como estava vivendo a própria vida. Ao final da entrevista, ela nos deu pistas de como mudou em relação à sua condição anterior, demonstrando estar em paz com seus novos valores e seu novo sentido de vida.

O filósofo alemão Martin Heidegger (1889-1976) escreveu *O ser e o tempo*, importante obra do século XX. [12] Para ele, a confrontação com a possibilidade da morte poderia nos levar a viver mais plenamente. Essa noção influenciou centenas de milhares de pessoas em todo o mundo, e sugere que, se a morte aniquila todo o tipo de vida conhecido, a ideia da morte pode nos salvar de uma vida sem significado. Tal potencial da confrontação com a morte nasce do encontro amoroso com a vida, da aceitação da nossa posição finita e da experiência de angústia que surge dessa confrontação, fazendo que nos perguntemos: "O que eu tenho feito da minha vida?"

Essa confrontação nua e crua com a finitude é uma das mais poderosas formas de nos lançar em uma crise, e talvez precisemos de ajuda extra para enfrentá-la. Podemos questionar nossa capacidade de lidar com os fatos estressantes da vida, e os outros também podem duvidar dela. Mas esse deve ser um tempo em que cuidamos de nós mesmos com amor, e assim desenvolveremos os recursos necessários para lidar com as tempestades da vida. O fato é que toda crise é uma oportunidade de nascimento, de redenção e cura. É uma chance de mudar a rota, de repensar o estilo de vida, a direção das nossas decisões, o sentido do nosso caminho.

Um dos pacientes que conhecemos é um notório exemplo de como a confrontação com a possibilidade ou a concretude da morte nem sempre significa a abertura para um modo de vida mais autêntico. Aos 46 anos, era renomado em sua área profissional e tinha um relacionamento extraconjugal com uma namorada da adolescência. No entanto, permaneceu preso no impasse entre abrir mão do *status quo* da posição de homem bem-sucedido e pai de família exemplar ou viver um grande amor. Por seis anos, fez promessas e gerou expectativas na companheira do relacionamento extraconjugal de que a qualquer momento ele ia se separar para viver esse grande amor ao seu lado.

Mais tarde, quando ele recebeu o diagnóstico de um câncer incurável e avançado, sua companheira extraconjugal se encheu de esperanças de que finalmente ele teria coragem de se separar para viver o pouco de vida que lhe restava ao lado dela. No entanto, ele começou a usar o fato de que estava morrendo para não tomar uma decisão que talvez o fizesse mais feliz. Não era bem uma mentira que ele contava à companheira, porque ele próprio desejava sair daquela situação, mas ele não conseguia ser autêntico em relação a si mesmo. Não foi capaz de aproveitar a oportunidade que a proximidade da morte lhe deu para se fazer outro. Optou por continuar casado e fazer as mesmas promessas de sempre.

A primeira lição desse caso é que se trata de um homem, de uma posição social, de esposa, filhos e um inesperado amor reacendido. Não há certo e errado nessa história, e não buscamos aqui nenhum tipo de julgamento, mas perceber que o roteiro dessa trama liga essas pessoas de forma singular, misteriosa e com muito amor. Então, nosso esforço, como cuidadores, deve ser o de suspender nossas opiniões pessoais e permitir que esse espaço de cuidado seja marcado pela aceitação incondicional. É somente com muito respeito e amorosidade que poderemos cuidar dessas pessoas sem feri-las mais ainda, pois a doença e a própria situação em si já têm esse poder. Cabe a nós encontrar, com os pacientes, o aprendizado que faz sentido para aquele que o vive.

Outra lição importante nesse caso é a questão da autenticidade. Podemos, sim, nos tornar mais autênticos diante da morte, mas desde que façamos essa escolha, porque a morte em si não tem o poder de nos tornar mais autênticos à nossa revelia. A autenticidade é uma forma de vida, o que pressupõe a construção de um caminho com base no exercício desse valor. É como um maratonista, que exercita todo dia o próprio corpo para desenvolver resistência física e os atributos necessários à sua jornada. Nós também precisamos exercitar a autenticidade ao longo da vida, para que diante da morte isso seja para nós um exercício conhecido; para que a autenticidade não seja uma estranha, mas uma companheira íntima que se faz necessária em momentos de grandes transições.

A Sra. V., uma paciente com o diagnóstico de câncer de colo de útero avançado, com metástases por todo o corpo, aos 57 anos, foi para nós um exemplo de como a confrontação com a morte pode significar uma nova relação com a vida. No início, ela negou sua condição, experimentou profunda raiva, estabeleceu uma luta contra a vida, tentou barganhar e viveu uma longa e dolorosa tristeza antes de acessar um estado de aceitação e de progressiva paz. V. passou por um longo e doloroso processo, até que teve condições de ventilar suas emoções e aprender a abrir mão do controle da vida, depois de fazer isso em relação ao processo da própria morte. Antes de morrer, a Sra. V. ditou a seguinte carta, para ser inserida neste livro:

> Hoje posso dizer que estou em paz para morrer, e assim voltar à fonte que me deu a vida. Aprendi que, enquanto houver vida, deve haver dignidade, deve haver serenidade, todavia eu não quero mais estender indefinidamente meu tempo de vida com tratamentos fúteis, sem sentido para mim, desvinculados dos meus valores pessoais.
>
> Hoje em dia, tenho pedido aos meus amigos que vibrem pelo alívio das minhas dores e dos meus sofrimentos — e a esse respeito a equipe de cuidados paliativos que me acompanha me ajuda muito —, mas que também vibrem quando eu for recebida, em breve, na fonte de vida onde eu fui gerada, no universo de onde eu vim, na divindade maior que me criou.
>
> Há pouco tempo, atravessei as festividades de final de ano gravemente doente, o que foi uma grande prova para mim. Eu não quero viver mais do que a natureza defina para mim, e decidi, com o apoio

da equipe que me assiste, a que tratamentos desejo ou não desejo me submeter ao final da minha vida. Isso foi libertador.

Quero manter a paz até o momento da virada, e não será a virada de ano, mas a virada da minha existência, a virada desta vida para outra, quando poderei ser mais livre, livre desse corpo que hoje tanto me limita.

Quero deixar algumas palavras sobre os cuidados paliativos para os meus colegas de sofrimento, para pessoas que vivem com doenças graves e seus familiares.

Os cuidados paliativos me ajudaram a ver o sentido que eu dei à minha vida. Eles me ajudaram a ver o sentido da minha vida enquanto eu não morro, porque, na verdade, deveria ter sido sempre o mesmo sentido, sobretudo quando eu não tinha a perspectiva da morte tão perto.

Esse tipo de cuidado me deu a oportunidade de ressignificar a minha vida, mesmo estando assim tão perto da morte, e ressignificar a morte também. Morrer com sentido é menos doloroso do que morrer com a dor, morrer solitária, sentindo apenas sofrimento e sabendo que se é uma doente desenganada. Aliás, eu não estou desenganada de coisa alguma, mas plenamente consciente.

A morte pode ser algo menos doloroso. A morte pode ser algo que faz parte da nossa vida. E, por termos tanto ressignificado a vida quanto a morte, podemos abraçar a nossa finitude com mais paz. É essa a grande chave que os cuidados paliativos me dão para fazer, em breve, a minha transição.

Morrer em paz: é esse o meu desejo. Os cuidados paliativos me deram conforto, acolhimento, segurança, e por mais amor que os meus parentes, meus amores queridos, possam me dar, eles não têm o conhecimento dos profissionais que atuam com cuidados paliativos — e isso tem sido um diferencial imenso até aqui.

Eu amei a vida, e com muita gratidão a todos os meus parentes amados, que tanto me assistiram também nessa fase, eu dedico o meu eterno amor.

7.
Normalidade

> *Você não vai receber outra vida como esta. [...] Não espere o momento em que desejará dar uma última olhada no oceano, no céu, nas estrelas ou nas pessoas queridas. Vá olhar agora.*
> Elisabeth Kübler-Ross, Os segredos da vida

Muitas vezes, a chegada de uma doença grave significa uma crise de sentido, de direção e de propósito para toda a família. Uma vez instalada, ela ocasionalmente quebra todas as expectativas do futuro familiar. O caso a seguir ilustra que manter um sentido de normalidade, ainda que em face de tantas mudanças, pode ser uma fonte profunda de segurança e bem-estar, mesmo quando a morte se anuncia como uma possibilidade real, e não apenas imaginária.

Entrevistador — *É uma honra ter vocês aqui. Conforme eu lhes expliquei, nosso objetivo é tê-los como nossos professores. Queremos conhecer a realidade enfrentada por pacientes e seus familiares na lida com doenças graves. Gostaria de convidá-los a se apresentar, como vocês quiserem.*
Sra. C. — Meu nome é C., eu sou do interior, então o meu sotaque é decorrente disso. Sou professora de literatura, minha vida toda foi na sala de aula, com o ensino de línguas, e essa é a minha paixão. E a minha vida me trouxe mais outras paixões.

Entrevistador — *Quais são?*
Sra. C. — *O meu marido, mas também a Bruna e o Lucas, que são os nossos filhos. A Bruna completa amanhã 4 anos...*
Entrevistador — Como é para você isso, estando aqui hoje e ela completando 4 anos?
Sra. C. — *Falar disso me deu uma onda de emoção, uma emoção muito boa...*
Entrevistador — Se essa emoção pudesse falar, o que ela diria?
Sra. C. — *Uau! Quatro anos! É uma vida... Mas a gente usa essa expressão, não é? Uma vida... Uma vida pode ter quatro anos, que é o caso da Bruninha. E é uma vida muito rica!*
Entrevistador — Rica de quê?
Sra. C. — *De generosidade, de ensinamentos muito simples sobre o amor, já que ela é extremamente amorosa, acessível e autêntica. E o que me traz muita emoção, também, é pensar o quanto a Bruna, nesse último ano da vida dela, enfrentou tantas dificuldades e desafios! E eu vejo a Bruna com uma maturidade emocional tão grande para 4 anos, que me impressiona. Claro que eu tento não colocar nas costas dela o que ela não pode carregar, e que não é dela de carregar, mas ela já entende, apesar de às vezes ser difícil para ela, que o irmão tem que ir para o hospital, porque ele se infectou com alguma coisa, ou porque ele vai trocar a cânula, ou porque passou mal de alguma maneira.*
Entrevistador — O que você vê que considera difícil para ela?
Sra. C. — *É ficar longe dele. Da última vez que ele precisou ser internado, foi para trocar uma cânula, e teve uma intercorrência, precisou ser internado um pouquinho mais, e eu deixei para avisar a ela na véspera de ir para o hospital. A gente deu o banho nele junto, porque ela gosta de participar do banho dele. E aí eu contei: "Olha, filha, amanhã vamos levar o Luquinhas no hospital, para trocar o caninho que fica no pescoço dele, e aí a*

gente volta provavelmente amanhã mesmo". E então o J. [marido] já me ajuda dizendo que ele não volta amanhã, e que ele tem a previsão de voltar dias depois, para ela não criar a expectativa.

Entrevistador — Você ajuda de que maneira, J.? [dirigindo-se ao marido da Sra. C.]

Sr. J. — *Eu ajudo mais ficando com a Bruna do que diretamente no cuidado com o Lucas, não é? A gente divide tudo, mas fizemos esse ajuste para não ficar pesado demais pra ninguém, e a gente sempre ficar de olho no que nossos filhos precisam.*

Entrevistador — Entendo, mas ela estava falando sobre sua ajuda para contar para a sua filha que o menino não voltaria no dia seguinte do hospital, que precisaria ficar mais tempo lá.

Sr. J. — *Acho que contar a verdade, com jeitinho, traz mais segurança para ela, não é? Eu passo segurança para ela. Eu posso contar a verdade sobre a situação, que ela não vai mudar, mas mostro que estou ali para a minha família.*

Entrevistador — E como é para você passar segurança para ela?

Sr. J. — *Eu vejo como a minha principal função.*

Entrevistador — Você gostaria também de se apresentar?

Sr. J. — *Eu sou o pai da Bruna, pai do Luquinhas, o J., entendeu? A paternidade para mim é a coisa mais importante que tem, porque cuidar deles é a coisa mais importante para mim* [visivelmente emocionado].

Entrevistador — Eu percebo uma emoção, J.

Sr. J. — *Sempre que eu falo dela e dele, é tanto amor que transborda.*

Entrevistador — O que estou vendo, então, em sua emoção, é um transbordamento do seu amor pelos seus filhos?

Sr. J. — *Com certeza. É amor. E eu percebo que está dando certo o cuidado com ela...*

Entrevistador — *O que você percebe que está dando certo?*
Sr. J. — *Pelo comportamento dela, eu acho que ela é uma pessoa de bom coração, porque eu acho que ela recebe amor e também devolve muito amor. E eu tenho trocado muito esse amor com minha família.*
Entrevistador — *E com o seu outro filho?*
Sr. J. — *Sobretudo com ele. Esse é o meu sonho, a realização de uma vida, ver os dois tão pequenos já trocando tanto amor e tendo essa relação tão bonita. Eles ensinam a gente demais.*
Entrevistador — *O que eles ensinam?*
Sr. J. — *Com a própria doença do Lucas, ele ensinou a gente demais...*
Entrevistador — **Conte para mim um pouco mais sobre a doença dele.**
Sr. J. — *O Luquinhas tem atrofia muscular espinhal (AME). Ele tem 1 ano e 2 meses de vida, mas nasceu com o tipo da doença mais severo, que é o tipo zero. E como é a mais severa, ela já afetou ao Luquinhas na barriga, então ele também desenvolveu a desautonomia. É uma patologia do sistema nervoso autônomo, pois ele não consegue controlar diversas funções de forma voluntária, como a gente consegue fazer. É afetado nos batimentos cardíacos e em diversas funções do corpo.*
Sra. C. — *A gente fala que o Luquinhas é todo bagunçadinho, porque ele começa o dia fazendo 37º de temperatura, daqui a pouquinho vai para 34,5º e depois volta para 36º. E quando está com 34,5º de temperatura, não quer dizer que ele está com um processo infeccioso, porque essa é a bagunça do corpo dele. A pressão arterial dele muda muito, às vezes drasticamente, no mesmo dia, sem ter estresse algum. E ele faz, às vezes, diarreia, às vezes constipação, às vezes ele tem muita sudorese, então ele tem um quadro de muita alteração, mas que para mim é até estável, sabe? Mas quem está chegando*

para conhecer o Lucas raramente percebe a estabilidade dentro desse quadro, porque é mesmo de bagunçar. Ele já fez convulsões porque ele teve um pico hiperglicêmico, e ele tinha 5 meses na época.

Entrevistador — *Você falou que hoje essa oscilação da situação dele, ora estável, ora com alterações, não bagunça vocês, mas que as pessoas ficam bagunçadas por ele, especialmente as que não estão ainda acostumadas. Em algum momento bagunçou vocês?*

Sr. J. — *Sim. A gente foi na neuropediatra do Luquinhas, quando ele estava com 1 mês e 10 dias, e durante a consulta ela falou para a gente, com todo o jeito — o que foi muito legal da parte dela —, ela formulou uma hipótese com a AME como a doença mais provável dele. E saber disso nos bagunçou.*

Entrevistador — *Você lembra o que ela disse para você?*

Sr. J. — *Lembro. Ela disse que ele tinha uma doença, falou qual era a mais provável que fosse. Ela deu quatro possibilidades, mas descartou duas hipóteses diagnósticas pela idade dele. E aí ela chegou em duas: uma doença muscular ou uma que afetasse a parte de nervos, vamos dizer assim. Ela falou que a mais provável fosse a doença muscular, mas disse: "Vamos começar investigando pela de nervos", porque na minha visão a muscular era muito pior, não é? E eu lá, já bastante ansioso, perguntei um monte de coisas, e ela deu algumas respostas, e uma das piores coisas foi quando eu perguntei para ela a expectativa de vida. E ela falou que, em geral, essas crianças não vivem mais do que dois anos.*

Entrevistador — *Ela disse isso para você?*

Sr. J. — *Ela falou.*

Entrevistador — *E como foi ouvir isso?*

Sr. J. — *Não sei colocar em palavras. Ouvir aquilo me bagunçou.*

Entrevistador — *Você não sabe colocar em palavras, mas se você pudesse, em sua imaginação, virar um objeto naquele momento, qual objeto você seria?*

Sr. J. — *Eu viraria uma cidade atacada por uma bomba nuclear.*

Entrevistador — *E você?* [Dirigindo-se à Sra. C.]

Sra. C. — *Você se lembra daquela cena famosa, depois da explosão da bomba nuclear, da garotinha pelada correndo? É aquilo para mim. Devastou tudo. E aquele barulho do equipamento dos filmes, que faz uma linha reta quando a pessoa morre, já apareceu na minha cabeça. É um momento em suspenso, tudo fica em suspenso. Lembra muito daquela música do Herbert Vianna que diz: "Há um segundo, tudo estava em paz!" E eu falei: "Meu Deus, que consulta!" Tudo estava diferente!*

Entrevistador — *O que estava diferente?*

Sra. C. — *Eu sempre fui muito positiva, e quando a gente chegou naquela consulta, eu falei assim: "Ah, tem alguma coisa acontecendo". Isso era óbvio para a gente, porque ele era muito molinho.*

Entrevistador — *Então vocês entraram na consulta com a ideia de que "tem alguma coisa acontecendo" e saíram dela com a ideia de "algo muito grave está acontecendo". É uma mudança e tanto, não?*

Sra. C. — *Imensa mudança, bagunçou a gente. E você sabe... O parto do Luquinhas foi muito bonito, é uma alegria muito grande que eu tenho. Eu pude recebê-lo no momento mesmo em que ele nasceu, e ele já pôde ficar colado em mim, naquela hora de ouro. Mas a minha primeira sensação foi: "Que bebê molinho!" E eu disse: "Ele deve ter cansado da viagem". Foi a minha primeira sensação, então já havia em mim algum registro, mesmo que não fosse consciente, de que as coisas não estivessem bem, e que ele poderia ter alguma necessidade diferente de mim. Mas eu não achava que era uma coisa tão séria, nem* que as estimativas dissessem que ele não estaria aqui em dois anos. Então, realmente, foi essa a sensação: a explosão da bomba atômica.

Entrevistador — *Vocês acham que a maneira como a médica contou para vocês ajudou?*

Sr. J. — *Eu acho que sim.*

Sra. C. — *Eu concordo. Ajudou.*

Entrevistador — *O que, no que ela disse, ajudou?*

Sr. J. — *A calma com a qual ela falou foi muito importante. Ela olhava pra gente nos olhos.*

Sra. C. — *Ela dizia frases curtas, né? Ela foi objetiva, delicada, e foi muito bom isso, porque depois a gente não lembra tanto. Ela respondeu às nossas perguntas com honestidade — aquilo que ela podia responder, porque algumas perguntas ela não podia ou não sabia dizer. Eu me lembro de perguntar para ela se o Luquinhas ficaria nessa coisa de ir e voltar para o hospital, se eu poderia imaginar que eu viveria com ele num hospital.*

Entrevistador — *E ela, o que disse?*

Sra. C. — *E ela disse que sim, que pode acontecer. Ela disse que podia ser que ele fosse para o hospital e ficasse bastante tempo. Ou podia ser também que ele fosse e voltasse do hospital para casa com bastante frequência.*

Entrevistador — *E quando você ouviu isso, que futuro apareceu para você?*

Sra. C. — *Olha... Veio uma sensação de filme, porque naquele momento eu tive a sensação de que, quando olhasse para trás, eu diria: "Foi o que tinha que ser. Tudo caminhou como tinha que ter caminhado. Mas, caramba! Que força que a gente teve que ter!" Dava um filme, sabe? Essa é a sensação que eu tive quando ela falou. Estranhamente, fiz uma projeção sobre como vai ser quando eu não estiver mais vivendo isso, essa fase de tantas hospitalizações.*

Entrevistador — *E o que você viu, sobre esse período em que não estiver mais vivendo isso?*

Sra. C. — *Eu vi um caminho difícil, na minha cabeça veio uma cena de um corredor, com janelas grandes: bem típico de um hospital universitário. Paredes brancas, janelão, esquadria de alumínio, alguma coisa meio assim, um pouco frio, vi nós dois muito sozinhos, e isso tudo passou muito rápido na minha cabeça.*

Entrevistador — *Você viu vocês dois sozinhos... E como vocês estavam?*

Sra. C. — *Apreensivos, olhando de um lado para o outro. Por isso que parece que é filme, porque sempre que tem um filme sobre saúde tem sempre algum familiar do lado de fora esperando acontecer um milagre dentro do quarto, lá no leito, ou então esperando a notícia do falecimento daquele outro personagem.*

Entrevistador — *E, no caso, você imaginou vocês dois apreensivos. Estavam apreensivos pelo quê?*

Sra. C. — *Eu acho que pela ideia da data de falecimento, sabe? A apreensão veio relacionada — naquele momento, porque naquele momento é isso que a gente estava querendo saber — à passagem do Lucas, ao momento de despedida. Eu não sabia que a gente viveria tantas reinternações. Eu não sabia que a gente era tão conhecido no ambiente hospitalar como a gente é. Também não sabia que teríamos feito tantos amigos dentro do ambiente hospitalar! Eu era muito leiga nessa vivência. Fui criada com homeopatia, superzen, quando eu ficava doente minha mãe dizia: "Dá um passe, toma um chazinho!" Sabe, superzen assim...*

Entrevistador — *Então foi tudo muito novo.*

Sra. C. — *Muito novo e desafiador.*

Entrevistador — *O que foi mais novo para você?*

Sra. C. — *A apreensão relacionada com a morte, pois eu era muito leiga nessa vivência.*
Entrevistador — Leiga como?
Sra. C. — *Leiga em lidar com a espera da morte, com a angústia dessa espera, e ainda assim continuar vivendo.*
Entrevistador — E como você lidou com essa espera?
Sra. C. — *A gente se torna pesquisador, procurando informações. Eu buscava a minha tribo, meus pares, outros casos de crianças, de pais que enfrentavam essa situação de saúde tão incomum, e encontrava o Luquinhas nos números ali, e queria me antecipar a tudo que poderia acontecer.*
Entrevistador — Como foi para você?
Sra. C. — *Aprendi, agora eu sei que não controlo tudo.*
Entrevistador — Não controla tudo?
Sra. C. — *Sim, não controlo. Meu filho não se encaixa em nenhuma expectativa ou em números. Ele já superou a média de vida para ele. Havia 95% de chance de ele já ter morrido, e hoje eu aprendi a aproveitar os 5% de vida que ele ainda tem.*

Bem se vê que essa família é um exemplo de como o exercício do amor incondicional é uma poderosa liga, que facilita o compartilhamento da verdade, sem ilusões, mas também os ajuda a compreenderem-se mutuamente. Um exemplo disso é quando a Sra. C. se vê obrigada a contar à filha que o pequeno Lucas será hospitalizado, mas não é capaz de lhe dizer toda a verdade. Assim, a Sra. C. se sente agradecida quando o pai dessa família consegue contar a Bruna que o menino ficará mais dias no hospital do que eles gostariam. Os membros dessa família conseguem perceber mutuamente os próprios limites e necessidades, e fortalecem uns aos outros.

Notamos no começo da entrevista um profundo senso de normalidade, sobretudo quando esses pais se apresentam e começam a falar sobre seus papéis no mundo, seus valores e sobre ambos os filhos, e não apenas sobre a doença de Lucas. O que torna isso ainda mais evidente é o fato de que esses pais estavam diante de profissionais de saúde e, ainda assim, quiseram começar se apresentando por características que compartilham com milhares de outros pais de crianças normais — o que indica que querem também ser vistos como pessoas normais, e não apenas como os pais de uma criança gravemente enferma.

Um fato desorganizador para essa família foi o momento da formulação da hipótese diagnóstica, que levou a médica a anunciar uma expectativa de vida que não passava de dois anos. O anúncio de um tempo de vida para o menino, mesmo sem que o diagnóstico tivesse sido fechado, foi associado pelos pais a uma experiência subjetiva de bomba atômica. De início, essa experiência foi considerada positiva pelos pais, porque eles destacaram o contato visual, a objetividade da médica, a honestidade, a sinceridade e as frases curtas. No entanto, apesar disso, disseram que foi muito difícil ter de lidar com a apreensão da previsão da data de falecimento, o que os perturbou por longo tempo. Para muitas famílias, ter de lidar com uma previsão de tempo de vida até a morte é deveras angustiante, como uma ampulheta que corre sem que nada possa alterá-la. Sabemos que nem sempre as previsões médicas são corretas, e temos visto que elas geram grande sofrimento em muitos pacientes.

Outra lição que nos é dada por esse caso é a relação com os milagres, porque por mais que os pais de Luquinhas entendessem perfeitamente sua situação clínica, havia a esperança, até nos piores momentos, de que a criança se curasse. Tal esperança alternava com momentos de raiva quando a realidade se mostrava diferente. Essa esperança de que aconteçam milagres não precisa ser perturbada por nós, porque o tempo e a própria doença se encarregam de ajudar as pessoas a lidar de outra forma com os acontecimentos.

Na medida em que a Sra. C. se aprofunda em informações que lhe deem segurança para cuidar de Lucas, percebe que seu filho não era uma tabela, mas único na forma com a qual vivenciava o seu adoecimento, ou como respondia ou não ao tratamento. Assim, a Sra. C. percebe que não há um controle absoluto dessa situação, e sim uma singularidade a ser respeitada.

Entrevistador — *Como é isso hoje para vocês?*
Sra. C. — *Hoje temos todo um planejamento no cuidado com ele e no cuidado com a gente e nosso luto. É preciso se entregar sem volta com o Luquinhas, e eu tive que aprender a lidar com meus medos.*
Entrevistador — *De que maneira você lida com seus medos agora?*
Sra. C. — *Cuidando menos.*
Entrevistador — *Cuidando menos?*
Sra. C. — *Sim. Decidimos que não teríamos câmeras no quarto dele. Já aprendi que não preciso observá-lo 24 horas por dia, e tudo bem. Aprendemos a viver um dia de cada vez.*
Entrevistador — *E como é para você ouvir tudo isso?* [referindo-se ao pai]
Sr. J. — *É isso tudo que ela falou.... Me emociona ouvir, porque torna mais leve pra gente quando temos a certeza de que não estamos sozinhos. Contaram pra gente que o Luquinhas nasceu com prazo de validade, mas hoje sei que não é bem assim.*
Entrevistador — *E como é hoje?*
Sr. J. — *Luquinhas nos ensina a dar e receber, e ele nos ensina a receber amor com o olhar dele.*
Entrevistador — *O que você vê no olhar dele?*

Sr. J. — *Que ele me ama, que estou fazendo o certo. Ele me valida muito como pai, sem mexer nada, só com o olhar. Ele sorri pra gente com os olhos.*

É notório que, para esses pais, o sentido de vida está preservado, justamente porque o que dá sentido à sua experiência é a maternidade e a paternidade, e quanto eles buscam se reinventar a cada nova necessidade dos filhos. Sentem que são pais, ainda que não possam fazer o que os pais de crianças saudáveis fazem, mas descobrem, dentro da sua limitação, momentos especiais e verdadeiros de conexão e amor.

Entrevistador — *Como é a relação do Luquinhas e da Bruna?*
Sr. J. — *Aprendemos, no nosso dia a dia, o que é possível e o que não é. Hoje a Bruna também nos ensina a cuidar do Luquinhas de uma maneira tão natural que, muitas vezes, a gente se sente uma família normal, ainda que seja diferente. Ela o ama, e brinca com ele de formas que a gente nunca imaginou. Ela nos ensina muito a lidar com ele.*
Entrevistador — *De que maneira ela ensina a lidar com ele?*
Sr. J. — *De uma maneira real, sem dó nem pena; porque, quando olham pra gente com dó e peninha, isso é muito irritante e dá raiva.*
Entrevistador — *Se essa raiva tivesse voz, e pudesse falar conosco, o que ela diria?*
Sra. C. — *Ela diria: "Não invalide a minha dor, eu não sou apenas essa dor".*

Essa família é um exemplo de como é possível aceitar determinada condição, por mais difícil que seja, e conviver com ela com esperança, respeito e abnegação. É disso que trata o exercício do amor incondicional, ainda que seja cercado de tantas dificuldades e novos aprendizados. Viver à espera da morte é conviver todos os dias com o fantasma da incerteza, mas esse caso nos ajuda a lembrar que podemos construir uma espera com amorosidade, cumplicidade e cuidado consigo mesmo e com os que estão à nossa volta. Somente com esses ingredientes é que essa espera será uma fase toda especial de desenvolvimento da nossa capacidade de dar e receber amor.

Algum tempo após a entrevista em nosso seminário, a Sra. C. escreveu-nos uma tocante carta acerca da sua relação com o filho, de sua morte iminente e do seu amor pela família. Com autorização dela, transcrevemos a carta a seguir.

> Todas as noites, após o banho e enquanto a roupa de cama é trocada por uma de suas fadas-mãezinhas (as enfermeiras do serviço de atendimento domiciliar), Luquinhas sai para um breve passeio por algum cômodo da casa. Em geral, ele é conduzido para onde sua irmã e seu pai estão.
> Esses momentos têm sido amostras de normalidade, momentos em que estamos apenas os quatro, seja na sala vendo um pouco de TV ou brincando de massinha, no meu quarto, no banheiro (pro Luquinhas ver a Bruna tomando banho) ou no quarto da Bruninha. Todos nos iluminamos com esses lampejos de vida, irmandade, companhia. São breves, nada mais que cinco a dez minutos (eu acho), mas são fortes.
> Elo de corrente, elo de amor. É nesses momentos, suspensos no tempo do relógio, que a vida marca tatuagens no coração e na mente. Segundos que pairam no ar, que invadem a alma. Brisa que acaricia as lacunas e acalma as ausências. Luz do luar que protege da solidão e do medo...
> São assim esses momentos em família sendo apenas família: naturais, como se sempre tivesse que ter sido assim, como se não houvesse outra forma de viver. Especialmente, como se cada um esti-

vesse exatamente no lugar em que deveria estar nesse mundo. E estamos, somos.

Ontem eu ouvi que quão mais gratos somos, mais próximos estamos de Deus e da verdade que Ele escolheu para a nossa vida. E, quanto mais reclamamos, mais nos afastamos d'Ele. Eu concordei.

Essas reflexões que falam de amor, luto e vida são resultado de um coração que vê Deus em cada parte do que vivemos, que agradece os momentos suspensos no tempo do amor e, também, os gravados no palco da dor. Cada parte disso tudo me faz quem sou, cada choro chorado, risada dada, abraço compartilhado, olhar trocado. Cada mão que segura a minha permite que eu me capacite para que eu segure a mão de quem precisa de mim. Cada centelha ilumina o céu de estrelas.

Um dos versos que mais me marcaram até hoje está no livro *Folhas de relva*, de Walt Whitman. Naqueles anos, havia o pensamento transcendental de que homens e natureza partilhavam da mesma origem e que essa proximidade nos aproximava de Deus. Whitman, então, assim inicia seu poema "Canção a mim mesmo": "Eu celebro a mim mesmo / E o que eu assumo você vai assumir, / Pois cada átomo que pertence a mim pertence a você". É nisso que eu creio: que cada átomo presente em mim existe no meu filho, na minha filha, no meu marido, meus pais, irmã, amigos, conhecidos... Somos resultados da mesma criação e temos as mesmas potências de ser e existir.

Luquinhas me escancara o que faço com as minhas oportunidades. Bruna me convoca a viver com verdade e coerência. Meu marido me desafia e ampara nessa caminhada. Percebo que a iminência da morte faz a gente falar da vida. Que as incapacidades nos fazem refletir sobre como lidamos com as nossas competências. Então, o que vejo com o Luquinhas é que a gente se volta para o que mais importa, para o que é mais caro para cada um.

Para a Bruna, passear com os pais e ficar em casa com o irmão. Para o meu esposo, cuidar da rotina dela, para que o mundo dela siga cheio de cores, sabores, alegrias, e que o Luquinhas tenha amor de papai sem fim, qualidade e segurança. Para mim, seguir sendo o coração dessa família, ser os pés, pernas, mãos e braços do Luquinhas, o colinho e o afago da Bruninha, o ombro que sustenta o meu marido.

A gente vive o agora. A gente pulsa, agora. A gente abraça, beija, se desculpa e se reconstrói, no agora. E, assim, de agora em agora, vai transformando o nada em tudo, a ausência em certeza, o amor em eternidade. As fotos ficam para matar as saudades desses momentos em que tudo era só aquilo — presença, alegria, troca. E tudo estava no seu lugar. Que felicidade ter o meu primeiro Dia das Mães com os meus dois filhos! Vai ficar sempre e para sempre tatuado em mim. Das sortes da vida, eu tirei a loteria.

8.
Reconciliação

*Perdoar é renunciar a todas as
esperanças de um passado melhor.*
Gerald G. Jampolski, *Perdão, a cura para todos os males*

Nossa próxima professora nos ensinou que, mesmo depois de reiterados reveses do destino, é possível nos reconciliar com a vida sem que o sofrimento nos leve a nos fechar em nosso ostracismo — ou a nos distanciar de nossa essência, fazendo-nos assumir outros papéis, como o de vítima, de algoz, de ressentido com a vida, de raivoso crônico etc.

Vitória começa se apresentando como professora universitária de uma faculdade de Medicina, tendo atravessado três perdas gestacionais. Em sua primeira perda, ela descreve como foi difícil ouvir de boa parte dos profissionais envolvidos na sua assistência algo muito doloroso: "Não fica assim, pois é normal a perda".

Entrevistador — *Como foi para você ouvir deles que essa perda era normal?*
Vitória — *Fui aprendendo que tinha que calar a minha dor.*
Entrevistador — *Como foi isso?*
Vitória — *Descobri que as pessoas dão prazo para que você fique bem.*
Entrevistador — *Elas dão prazo para que você fique bem?*

Vitória — *Sim, ao passar o prazo que elas mesmas estabelecem, elas começam a cobrar o próximo filho. Era muito difícil lidar com essa parte, porque as pessoas literalmente olham para você, as que sabem que você perdeu, e elas perguntam mesmo: "Quando virá o próximo?" Nossa, isso é terrível.*
Entrevistador — E me parece que não era de cobrança que você precisava. Estou errado?
Vitória — *Não.*
Entrevistador — E do que você precisava?
Vitória — *Eu precisava da compreensão da minha dor, que não tive.*
Entrevistador — E como você precisava ser compreendida?
Vitória — *Precisava ouvir que essa perda não era normal. Normal, não!*
Entrevistador — De quanto tempo você estava?
Vitória — *De 12 semanas. Mas, independentemente do tempo, nenhuma morte de filho é normal, né... Pode ser até comum, estatisticamente, mas nunca normal. Era meu primeiro filho, não queria que tratassem ele como mais um número.*

Vitória mostra uma realidade muito presente em nossa cultura, que encara a morte gestacional precoce como algo normal. Importa destacar aqui que, se fosse uma mãe que tivesse perdido seu filho com 2 anos de vida, por exemplo, haveria culturalmente uma legitimação dessa perda, considerando-se adequada, e mesmo esperada, a exposição pública do sentimento de pesar. O mesmo não acontece com a experiência de Vitória, que poderia ser considerada um luto "não reconhecido", conforme afirma o gerontólogo norte-americano Kenneth J. Doka. Esse autor fez uma importante contribuição aos estudos sobre a morte ao considerar que alguns tipos de luto sofrem o interdito da sociedade em que vive o próprio enlutado, o que indica que uma abordagem de fato terapêutica com enlutados precisa ser sensível à sua realidade.

Vitória continua descrevendo que, em sua segunda perda, durante uma ultrassonografia de rotina, perto da trigésima segunda semana de gestação, algo deveras singular aconteceu:

Vitória — *Eu tentava perguntar para o meu marido o que tinha acontecido, mas ele não me dizia, e eu vi na cara dele o que aconteceu. Eu vi que algo estava errado, porque ele é técnico em radiologia, e ele entendia bem o que estava aparecendo no monitor durante o exame. Eu vi uma tristeza profunda nele, algo que ele não conseguiu negar. E então eu soube: "Tá morto!"*
Entrevistador — *Como foi se dar conta disso?*
Vitória — *Eu precisava acreditar que eu não tinha feito nada de errado.*
Entrevistador — *Você obtete o que você precisava?*
Vitória — *Sim, teve uma pessoa que me ajudou. Foi uma técnica de enfermagem. Ela entrou no meu quarto e disse: "Você não fez nada de errado".*
Entrevistador — *Como exatamente ela disse isso a você?*
Vitória — *Ela segurou na minha mão, e a forma como falou comigo foi olhando nos meus olhos. Isso fez toda diferença.*
Entrevistador — *Quando ela fez isso, quem você se tornou?*
Vitória — *Eu me tornei o que eu era antes, eu estava totalmente perdida de mim, e a maneira como ela me olhou me ajudou a me encontrar.*

Na segunda perda enfrentada, Vitória nos ensina que o profissional de saúde tem papel fundamental no processo de luto, podendo intervir precocemente e evitar complicações futuras. Notemos que essa técnica de enfermagem só teve a capacidade de olhar nos olhos de Vitória, pegar sua mão e acolhê-la sem hesitar porque já acessou a sua própria dor e compreende que aquele momento é de Vitória. Quando não temos a capacidade de nos conectar com nossas dores, corremos o risco de tomar a dor do outro para nós. Nesse caso, a profissional soube ver a dor de Vitória e dizer-lhe: "Não vá por aí, você não tem culpa de nada". Apenas com o exercício de estar atentos a quem nos tornamos diante de cada paciente poderemos estar disponíveis de verdade, como essa técnica de enfermagem esteve. Porém, como veremos adiante, a experiência de Vitória com a morte não parou por aí.

Entrevistador — *Mas houve outra perda significativa, não foi?*
Vitória — *Sim, houve, sim.*
Entrevistador — *Conte-nos um pouco mais.*
Vitória — *Eu já estava com 37 semanas, e vocês podem imaginar como foi apreensivo chegar até essa época. A equipe que me acompanhou foi a mesma da gestação anterior, e eu acreditei que, se alcançasse as 37 semanas, eu estaria fora de perigo, porque ele já estava todo formadinho. Eu estava me sentindo até mais segura, mais confiante, pois já tinha passado o perigo das 32 semanas, e eu já tinha ido além da gestação anterior. Comecei a acreditar que agora nada poderia dar errado, e esse foi um grande engano nosso. A vida não segue as nossas regras.*
Entrevistador — *E o que aconteceu?*
Vitória — *Aprendi que a gente não controla nada.*
Entrevistador — *Como veio esse aprendizado?*
Vitória — *Com a morte do meu terceiro filho. Tudo saiu errado, e ele não chegou a nascer vivo.*
Entrevistador — *O que foi que aconteceu?*
Vitória — *Tive um sinal de que alguma coisa estava errada com o bebê, liguei para a minha médica. Ela me mandou direto para a emergência do hospital e disse que me encontraria lá. Mas o*

pesadelo se repetiu. Um exame mostrou que meu filho, tão perto de nascer, já estava morto. Foi muito difícil. Minha médica tomou minha mão, disse que não sabia o que dizer, mas ficou comigo. Meu marido também, choramos muito. Tudo que queríamos era saber o que tinha acontecido, mas naquele momento não tivemos essa resposta. E era preciso fazer uma cesárea para retirar o meu filho morto de dentro de mim. Minha cabeça estava a mil, a equipe parecia não acreditar. Nesse momento, você até acha que a dor, essa velha conhecida, passa a ser natural.

Entrevistador — *Como foi esse processo?*

Vitória — *Eles me deram a alternativa de fazer a cesárea sedada. Eu não pensei duas vezes: aceitei na hora. Também achei que tinha que ser assim. Eu só descobri que não queria quando já era tarde.*

Entrevistador — *Como assim, descobriu que não queria? Quando isso aconteceu?*

Vitória — *Foi quando acordei, e me dei conta que nem peguei ele nos braços quando ele nasceu.*

Entrevistador — *Então, o que você está dizendo é que faltou alguém lhe explicar o que implicaria a sedação, o que ela ocasionaria, que seria não ter essa possibilidade.*

Vitória — *Sim, foram todos muito atenciosos, mas senti que faltou isso, e eu me arrependo disso de verdade. Eu queria tê-lo segurado nos braços, mas na hora eu não consegui escolher diferente. Eu não sabia.*

Entrevistador — *Então, você não conseguiu escolher diferente e não sabia. Não lhe foi dada essa possibilidade.*

Vitória — *Sim, não foi dada, mas não os culpo, porque entendi que eles queriam me proteger, e eles não conseguiram fazer essa pergunta pra mim.*

Entrevistador — *Então, de alguma maneira, eles decidiram por você?*

Vitória — *É verdade, eu realmente não pude escolher*

A terceira perda gestacional de Vitória é marcada pelo acolhimento da equipe, que respondeu às suas necessidades emocionais. Eles estiveram presentes, compassivos e disponíveis para ajudar a ela e ao marido a lidar com a crise desencadeada pela perda do terceiro filho. Porém, ao oferecer a sedação como possibilidade, faltou-lhes explicar à paciente o que significaria para ela não estar acordada para segurar o filho logo após o nascimento. Isso nos faz pensar na dificuldade que nós, profissionais de saúde, temos de abordar questões nem sempre óbvias. Somente explorando a experiência do paciente saberemos em sua singularidade o que é melhor para ele. Mas talvez falte preparo para acessarmos, dentro de nós, o que de fato significaria fazer esse tipo de pergunta a uma mãe em um momento tão delicado como esse. Será que conseguiríamos?

Vitória — *Vocês podem imaginar como é descobrir estar grávida pela quarta vez depois disso tudo?*
Entrevistador — *Como é descobrir?*
Vitória — *Muito difícil, porque primeiro precisei descobrir o que provocou a minha terceira perda para ir adiante com a quarta tentativa. Mas, depois que fiquei grávida de novo, senti muito medo.*
Entrevistador — *Medo de quê?*
Vitória — *Medo de o meu corpo, mais uma vez, não conseguir e meu quarto filho não nascer vivo.*
Entrevistador — *E o que aconteceu?*
Vitória — *Como eu descobri o que tinha acontecido, que era um tipo de diabetes, passei a me cuidar muito mais. Mas, ao mesmo tempo, aprendi a conviver melhor com o meu medo.*
Entrevistador — *De que maneira?*
Vitória — *Passei a comemorar cada pequeno movimento, cada mês de vida, cada pequena coisa, porque ele estava vivo den-*

tro de mim, e mesmo que ele não se mantivesse vivo fora de mim... Naquele momento, comemorava a vida que estava dentro de mim. Assim, fui aprendendo a conviver com o medo, que me acompanhou durante toda a gestação. Tinha esperança, mas confesso que também tinham momentos difíceis de controlar o medo.

Entrevistador — *O que mais a ajudou a lidar com o medo?*
Vitória — *Além de ter todo apoio e companheirismo de meu marido, a equipe foi fundamental durante todo o processo.*
Entrevistador — *De que maneira eles foram fundamentais?*
Vitória — *Minha médica sempre me encorajou e me deu muita força quando precisei. Às vezes, me sentia desesperada com a insegurança e a autocobrança. Ela me passava segurança. E assim foi todo o processo da gestação, com muito cuidado, inclusive na alimentação. Quando chegou finalmente o momento de nascimento, eu já estava familiarizada com toda a equipe. Foi emocionante sentir que estavam todos com a gente. Na hora em que ele nasceu e chorou pela primeira vez, todos na sala de parto choramos juntos. Eu sentia não só a minha felicidade e a do meu marido, mas de toda uma equipe.*

É notório que Vitória enfrentou sua primeira perda, de início, com grande choque, lidando com um grande interdito social acerca de seu luto. Ela experimentou uma raiva significativa, relacionada ao não reconhecimento da sua experiência por parte das pessoas, que lhe diziam: "Não fique triste, você terá outro bebê, isso é normal!" Algo difícil para ela foi a culpa vivida, em virtude da crença de que seu corpo não conseguia gerar um filho saudável, e por isso era fundamental descobrir a causa que provocara a perda.

Inúmeras mulheres que vivem o drama da perda gestacional e neonatal experimentam uma culpa relacionada com o sentimento de fracasso, por se sentirem responsáveis pela morte do filho. Há em primeiro plano uma decepção em relação ao próprio corpo, mesclada com insegurança e estranheza; depois, essa culpa é dirigida para o eu. Notoriamente, a relação com o próprio corpo muda, e há uma espécie de condenação em relação a ela. Uma mulher que acompanhamos, em situação semelhante, contou certa vez: "Eu cheguei a rezar para Deus e lhe disse: não coloque mais nenhum filho no meu útero, ele é um cemitério". Desenvolve-se uma relação com o corpo na qual a incapacidade de gerar uma vida faz que a mulher julgue que seu corpo — e ela própria — não tem valor.

Na segunda perda, Vitória descobre, no olhar de quem cuida verdadeiramente, um porto seguro, uma base de segurança que a recoloca em contato consigo mesma. Trata-se de uma companhia significativa, de um vínculo profissional-paciente que se mantém ainda no terceiro parto e inspira confiança e segurança mútuas. Havia veracidade, um profundo senso de familiaridade — porque todos se conheciam e se respeitavam —, mas o que a experiência de Vitória demonstra é que, por mais que compreenda o gesto daqueles que sugeriram sedá-la, ela lamenta até hoje não ter segurado o filho nos braços.

Ao descobrir a causa de tantas mortes gestacionais, Vitória passa a circunscrever o problema; não mais o seu corpo inteiro ou toda a sua pessoa foram incapazes de gerar a vida, mas o diabetes. Dessa forma, Vitória se autoriza uma nova gravidez, pois já sabe o que combater e com que armas vai defender o filho. Com a elaboração do luto e a aprendizagem dele decorrente, Vitória aos poucos se reconcilia com seu corpo, consigo mesma e com o seu futuro, e continua investindo no projeto de ser mãe. A reconciliação, no caso dela, partiu de uma profunda aceitação de sua situação, com um pedido de desculpas que ela faz e concede a si mesma.

Vitória, a essa altura, já sabia com o que lidar, e que não estaria sozinha para enfrentar a situação. Mesmo em momentos de medo e desespero, sua médica lhe inspirava segurança, tendo ficado a seu lado durante toda a gestação. Muitas pessoas sugeriam que ela trocasse de médica, já que esta não a havia ajudado a ter um filho saudável, mas em virtude da extrema confiança estabelecida Vitória mantém a mesma profissional, a qual a ajuda a desenvolver um senso de segurança na gestação seguinte.

O vínculo da equipe que acompanhou Vitória em suas perdas anteriores fez toda diferença no dia do nascimento de Henrique, resultado da quarta gestação. Isso ficou muito claro quando Vitória se lembrou, emocionada, das visitas no quarto antes do parto e do choro, da vibração e da alegria de todos no momento em que Henrique nasceu saudável. Vitória sabia que Henrique estava sendo recebido com o cuidado e o amor de todos ali presentes. Aquele momento foi um instante de cura, um tempo de reconciliação com o universo, auxiliando-a em seu processo de luto. Houve uma mudança da posição subjetiva — de "meu corpo não dá conta" para "eu consigo gerar a vida" —, e isso foi fundamental para que Vitória buscasse a ressignificação de seu processo de luto.

Hoje, Vitória participa do cuidado e do apoio a outras mulheres que vivem a perda gestacional, em um grupo de apoio de sua cidade. Ela também encontra apoio, amor, sentido de vida e coragem na presença do marido, que é uma de suas principais fontes de segurança. Por meio de uma rede de suporte no hospital, do apoio incondicional de seu parceiro e de sua família, do trabalho voluntário e do amor ao filho, Vitória a cada dia ressignifica sua existência, demonstrando a todos nós que, por mais duros que sejam os golpes, sempre é possível uma reconciliação com a vida.

Faz parte do viver lidar com as limitações impostas pelas contingências da existência, e muitas vezes vemos em nosso trabalho que, ao contrário do que gostaríamos, um raio pode cair mais de uma vez sobre a mesma cabeça. Temos acompanhado muitas pessoas que são expostas reiteradas vezes a situações de grande sofrimento, e nem por isso elas se reduzem à dor. Diante do inesperado, elas acessam uma fonte de forças interiores que lhes eram desconhecidas. Mas, para conseguir esse estado de alma, é necessário estar em contato com o próprio sofrimento, reconhecê-lo, abraçá-lo com amorosidade e compreensão — e saber pedir ajuda para lidar com tamanha dor encontrada em si mesmo.

No entanto, não são todos os que apresentam estrutura interna para acessar a própria dor e cuidar dela, pois isso exigiria uma mudança que ainda não estão prontos para fazer. Sentem-se traídos pela vida, magoados com o tempo, castigados por Deus, tratados com indiferença pelo Universo e paralisados diante da vida e da morte. Não há certo ou errado nesse domínio, pois inúmeros vieses atravessam essa experiência — como as circunstâncias da morte, as referências em relação às perdas no curso da vida, a natureza do vínculo com os que se foram, a rede de apoio social, entre outros. O fato é que todos viveremos essa experiência de maneira única e singular, e cabe a quem cuida de nós aprender a explorar nosso mundo único, nossos valores, nossa singularidade irrepetível.

Sentimentos de mágoa, rancor, culpa, medo e incapacidade podem levar os seres humanos a se fechar em si mesmos e a ter dificuldade de sair do seu lugar. Por vezes, a dor aparece como um tapume à sua frente, muito próximo do seu campo de visão, não permitindo que se veja que além desse tapume existe ajuda, que ela pode ser solicitada e que existem recursos que ajudam a seguir em frente. Diante de um sofrimento sem sentido como esse, podem aparecer questionamentos como: "Por que eu? Por que comigo?" — que induzem o indivíduo a uma sensação de eterno castigo.

A ferida da alma sangra e a mágoa impede a sua cicatrização; por outro lado, escolher não olhar para a ferida pode provocar uma espécie de tamponamento, abafando a chaga, que deveria ser vista com amor, limpa com ternura e cuidada com respeito. O resultado disso, um tempo depois, é que a ferida se torna fétida, ficando muito difícil ignorá-la. Mesmo diante do inegável, algumas pessoas não conseguem olhar para a ferida, e isso precisa ser amplamente respeitado por nós, pois não há tempo predefinido para o luto de cada um.

A reconciliação com a vida marca um novo tempo de adaptação à realidade, em que não ficamos mais tão voltados para a dor aguda e a experiência do luto. Margaret Stroebe e Hank Schut, dois importantes teóricos do processo do luto, elaboraram o modelo dual de enfrentamento do luto. [13] Nele, os autores descrevem como as pessoas enlutadas tendem a oscilar entre dois polos: um na direção da perda e outro na direção da restauração —, e a aprendizagem decorrente do processo de luto acontece nesse tempo de transição.

A reconciliação se dá quando conseguimos investir na vida, perdoando-a pelo que fez conosco, e nos perdoando também. Assim, podemos investir em novos projetos, em novos vínculos, em novos amores, porque nos sentimos quites com a vida de novo — e mais uma vez estamos prontos para viver a vida reconciliados com ela, aceitando os riscos, perdas e ganhos de nossa jornada, por meio do eterno exercício de lidar com os imprevistos da vida.

9.
Compaixão

> *A verdadeira compaixão não consiste em sofrer pelo outro. Se ajudamos uma pessoa que sofre e nos deixamos invadir por seu sofrimento, significa que somos ineficazes e estamos tão somente reforçando nosso ego.*
> Dalai Lama, *Um coração aberto*

Antônio era um maqueiro hospitalar que conhecemos em nossa jornada, quando já estávamos entrevistando pacientes em nossos seminários interdisciplinares e conhecendo diversas pessoas envolvidas no cuidado de pessoas diante da morte. Responsável por receber os pacientes assim que eles chegam a uma unidade especializada de cuidados paliativos, Antônio chamou-nos a atenção desde que o vimos pela primeira vez, pela maneira como falava com amor do seu trabalho. Nós o convidamos para ser entrevistado, e ele aceitou antes mesmo de conversar sobre os detalhes, pois ficou muito interessado em nos ensinar sobre a sua perspectiva do cuidado.

Entrevistador — *Agradecemos sua presença aqui, em nossos seminários interdisciplinares, onde queremos aprender como as diversas pessoas relacionadas com o cuidado de pacientes graves se relacionam com eles. Você poderia começar se apresentando como desejar, por gentileza?*

Antônio — *Sim, com absoluta certeza. Eu sou Antônio, trabalhei como maqueiro de uma unidade especializada de cuidados paliativos por muitos anos, mas agora na verdade eu sou o zelador da instituição. Foi complicado virar zelador, porque eu gosto da minha função. Lidar diretamente com os pacientes, quando eles chegavam, era a melhor parte pra mim.*

Entrevistador — *Qual era a melhor parte com os pacientes?*

Antônio — *Lá na unidade, eles chegam vindos de diversas unidades da mesma instituição hospitalar, e vão para lá porque não tem mais tratamento para o câncer. E chegam muito pra baixo, cabisbaixos mesmo, achando que a vida acabou pra eles, e é uma coisa muito difícil isso, sabe?*

Entrevistador — *Como você vê eles chegando? Se pudesse descrevê-los, como eles chegam à unidade em que você trabalha?*

Antônio — *Chegam olhando para o chão, com desesperança nos olhos, achando que vão para lá só para morrer, mas eles vão lá para viver também, e eu chego no ouvido deles e digo: quem sabe não seja o fim da linha pra você? Quem sabe você não se cura? Porque a gente nunca sabe, eu já vi muitos pacientes chegarem lá na unidade e viverem muito tempo mesmo, e ninguém é Deus pra dizer pra uma pessoa que ela vai morrer em tal tempo. A gente não é Deus mesmo, então eu digo essas coisas para os mais entristecidos.*

Entrevistador — *E como eles ficam?*

Antônio — *Eles voltam a querer viver, voltam a sorrir, a comer e até a fazer artesanato, porque lá temos uma sala especial para eles fazerem coisas importantes para eles, sabe? Eu já levei muitos deles em cadeiras de rodas pra lá, e mesmo que eles não consigam fazer tudo, só o fato de fazerem alguma coisa já é bom, porque eles estão vivos, né?*

Entrevistador — *E quem você se torna fazendo essas coisas por eles?*

Antônio — *Eu me torno alguém que trata os diferentes de maneira diferente.*
Entrevistador — Como assim?
Antônio — *Assim mesmo, é isso aí. Eu trato os diferentes de maneira diferente, porque a gente precisa tratar as pessoas conforme elas precisam, e não da mesma maneira todo mundo. A gente precisa ajudar as pessoas a se sentir vivas, e pra isso a gente tem que descobrir como aquela pessoa funciona, o que ela gosta de fazer, o que faz ela ficar bem, e a gente pode ajudar ela a ficar bem se fizer por ela o que a gente gostaria que fosse feito por nós. Não tem mistério.*
Entrevistador — Você se lembra de algum paciente em especial, que estava cabisbaixo, se sentindo triste, que você auxiliou?
Antônio — *Não só eu, mas todo o pessoal do hospital é importante nessa hora, para mostrar àquela pessoa que ela está viva, e que não precisa entregar os pontos de maneira nenhuma. Eu estou há anos fazendo isso, e já vi de tudo um pouco, sabe? Eu me lembro de uma paciente que chegou muito triste, dizendo que ia morrer. Eu olhei ela nos olhos, falei que ela estava viva, e que ela podia inclusive se curar, quem sabe? A gente realmente não sabe, duvido de quem diga o contrário, porque a cura pode vir de vários jeitos, mesmo que não seja a cura física. Então, a gente precisa viver a vida que a gente tem, fazendo o nosso melhor, até mesmo sabendo que pode morrer, mas se isso não está acontecendo naquela hora, então ainda temos vida para viver. Eu falei tudo isso para ela, e ela ficou anos viva ainda. Voltou a sorrir, a viver. Foi assim.*
Entrevistador — Você está falando algo muito simples que todos podemos fazer e não nos exigiria muito tempo.
Antônio — *Tratar as pessoas diferentes de maneira diferente, com amor por todas, mas de acordo com o que elas precisam. Não é muito difícil, mas a gente precisa ter vontade de fazer isso, e nem*

todos têm. Me desculpem os médicos presentes, mas eu tenho convivido muito com eles, e sei como é difícil para eles verem a pessoa como um todo, e não a doença da pessoa. É muito difícil, porque eles estão treinados para isso: tratar a doença. Mas a gente precisa fazer um esforço mesmo de olhar nos olhos daquela pessoa e ver ela, e não uma doença. E tem que ajudar a pessoa a não se sentir culpada, porque muita gente acha que está sendo punida por Deus, e a gente precisa trabalhar a mente do paciente em relação a essa culpa, para que ele volte a se sentir amado de novo. E tem mais...

Entrevistador — *E tem mais o quê?*

Antônio — *A gente precisa se importar de verdade, criar vínculo, ficar perto, descobrir quem é aquela pessoa, que dor ela tem dentro dela, ajudar como a gente pode. Eu comecei lá na unidade sem nem saber o que eram cuidados paliativos, não tive treinamento formal, nem fui apresentado ao que era, no começo.*

Entrevistador — *E como foi aprendendo?*

Antônio — *Eu observava os pacientes e como os profissionais de saúde lidavam com tudo aquilo. Fui aprendendo vendo os pacientes, o que eles sentiam, mas nem sempre foi fácil.*

Entrevistador — *O que nem sempre foi fácil?*

Antônio — *Quando eles morrem não é fácil, é difícil pra todo mundo, mas a gente fica bem porque pôde ajudar aquela pessoa a se sentir um pouquinho melhor, e é isso que conta, sabem? A gente está ali para ajudar as pessoas a se sentir um pouquinho melhor.*

Entrevistador — *Como é para você trabalhar nesse cenário?*

Antônio — *Ao ser útil, me desprendi do nada, de ser ninguém, para ser alguma coisa. Quando eu me torno útil aos pacientes, à unidade, eu passo a ser alguma coisa. Aprendi que eu era útil e que sabia cuidar dos pacientes e das famílias deles. Eles só precisam de pessoas que estejam presentes. O mais difícil para mim era lidar com os outros funcionários que não entendiam e demonstravam descaso. Esse é o ponto mais difícil, gente que olha torto pra você quando, na verdade, você está pensando no bem do paciente. A gente tem que mostrar as possibilidades para o paciente, porque ele chega ali achando que não pode mais nada, mas pode muita coisa. Ele realmente pode fazer muita coisa, e a gente precisa mostrar isso pra ele.*

Entrevistador — *E como você faz para mostrar isso a ele?*

Antônio — Eu falo, repito, digo de novo, outra vez, estou presente, olho nos olhos, brinco, até que ele volta a acreditar. Tem que ter muita paciência e esperança para fazer esse trabalho, mas foi onde eu mais me realizei. O reconhecimento de ser útil para alguém me fez eu me sentir mais eu.

Entrevistador — *Como é a morte para você?*

Antônio — Eu não tenho medo da morte, tenho medo da vida quando a gente não se importa com as pessoas, porque a morte não é assustadora como a gente pensa. A gente morre como viveu, e se a gente vive bem não precisa ter medo da morte. É isso que eu penso.

Entrevistador — *Entendemos plenamente. Nós agradecemos demais a sua presença aqui, muito felizes por ter partilhado conosco a sua experiência.*

Antônio — Eu que agradeço, de verdade. Muito obrigado por tudo.

Antônio nos ensinou que a maneira como olhamos para os pacientes pode ser reveladora. Quando olhamos nos olhos deles tomados pela desesperança, corremos o risco de inocular neles uma grande dose de negatividade. Assim, esse olhar pode ser o atestado de que estão vivos ou mortos, isto é, de que ainda podem ter uma vida com sentido ou que ela já acabou mesmo antes de ter acabado. Esse maqueiro mostrou ter a rara habilidade de sustentar a existência com um olhar, porque com o olhar ele oferece um sopro de vida.

Muitos dos pacientes que entrevistamos em nossos seminários revelaram que a maneira como são vistos por quem cuida deles é fundamental para que consigam se identificar como seres humanos dignos ou indignos, de modo que Antônio é um exemplo vivo de como se pode, ao mesmo tempo, ajudar os pacientes a voltar a se sentir vivos e dignos — apesar do poder que uma doença tem de fazer que nos estranhemos aos nossos olhos. Mas qual é o elemento central, a chave para que consigamos olhar os pacientes sem negatividade, sem contaminá-los com uma visão pessimista da vida, ajudando-os a voltar a confiar em si mesmos?

Esse elemento é a compaixão. Se considerarmos as palavras de Antônio, veremos que esse é o eixo central pelo qual ele considera a vida e, por extensão, seu trabalho. Mesmo sem ter tido uma formação específica ou um treinamento prévio na filosofia e na prática dos cuidados paliativos, Antônio se dedica a agir como um ser compassivo, que se preocupa em minimizar o sofrimento das pessoas com quem convive, ainda que tenha nenhum ou pouco reconhecimento.

Movendo-se de maneira verdadeiramente compassiva, Antônio não toma para si o sofrimento dos pacientes, que é bastante acerbo, mas os ajuda a desenvolver a crença básica de que eles dão conta de enfrentar a vida. Talvez essa seja a forma mais delicada e compassiva de ajudar as pessoas em sofrimento a amadurecer em meio às tormentas.

Alguns indivíduos atravessam uma vida inteira questionando a própria capacidade de enfrentar as tribulações, e passam a confiar demais nos outros. Têm uma visão bastante negativa de si mesmos e das próprias capacidades, e procuram álibis que justifiquem sua posição diante do mundo. Apresentam-se como vítimas do destino e saem em busca de pessoas que as sustentem, que sirvam de tripé para sua imensa insegurança diante de transições significativas.

Outros indivíduos acreditam que sozinhos se sairão melhor, e creem que os outros não poderão atender às suas necessidades. Sentem-se seguros de si, com uma visão muito negativa dos outros e muito positiva deles próprios. Apesar disso, seu sistema de crenças pode começar a desabar quando percebem que não carregam todo o instrumental de recursos necessários para enfrentar tempos difíceis, e por isso experimentam crises graves. Como não confiam nos outros e questionam as próprias capacidades, passam a viver um tempo de profunda desorganização, com dificuldade de exercer as funções que antes exerciam.

Por outro lado, certos indivíduos apresentarão, ao mesmo tempo, uma desconfiança básica em relação a si mesmos e aos outros. Sobretudo em fases de transição, essas pessoas podem se mostrar desorganizadas, sem ter um porto seguro onde repousar, em meio a tantos desafios e lutas. Não tendo referências de segurança e de confiança, essas pessoas tendem a se expor a riscos e evitar o apoio que os outros poderiam lhe oferecer, simplesmente porque desenvolveram a crença de que não podem contar com eles.

Seria muita ingenuidade da nossa parte afirmar que um olhar compassivo pode transformar de súbito a maneira como as pessoas veem o mundo e a si mesmas, mas esse é um importante ingrediente para essa mudança. Em primeiro lugar, Antônio mostra estar de fato presente; demonstra que, ainda que o paciente esteja com a imagem corporal bastante alterada, ele permanecerá ao seu lado. Aos poucos, ele vai se tornando familiar pela presença, e a familiaridade transmite a ideia de que aquela pessoa não será abandonada por ele, ainda que se sinta tão estranha em relação ao que já foi um dia. Aos poucos, Antônio a ajuda a ver que ela está viva, e não morta — e que isso lhe abre um leque de possibilidades.

Essa abertura para novas possibilidades marca um tempo novo. À luz do olhar de Antônio, os pacientes podem voltar a acreditar que são capazes de assumir novos papéis, não mais se reduzindo à identidade do "moribundo", "às vésperas da morte", "sem possibilidade para mim", entre outras categorias igualmente negativas que limitam as possibilidades do ser humano que, ainda que esteja morrendo, vive.

A compaixão, portanto, é uma virtude que se lança em direção ao alívio do sofrimento, mas não toma para si a tarefa de fazê-lo solitariamente. Ela convoca o sujeito adoecido a trabalhar também em seu favor, e se dedica a fazê-lo acreditar que ele pode realizar essa tarefa. Aprendemos com Antônio que o olhar é o recurso de cuidados compassivos mais importante, muito mais do que técnicas meditativas e contemplativas, embora elas também tenham seu lugar.

Um olhar compassivo é a chave para ajudar o paciente a se conectar com sua sabedoria interna e a despertar as forças internas que permitem o florescimento de sua capacidade de perdoar, amar e confiar em si mesmo. E a maioria dos nossos pacientes é unânime: essa é uma das ferramentas mais preciosas para ajudá-los a se conectar com a vida que ainda lhes resta, não importando o tempo que ainda tenham. Assim, eles nos ensinam que um olhar compassivo faz valer, sem sombra de dúvida, uma existência inteira.

Uma história sobre o poder da compaixão para ajudar as pessoas a descobrir novas possibilidades, em tempos particularmente difíceis, é aquela contida na obra *Os miseráveis*, do escritor francês Victor Hugo. [14] No livro, o personagem Jean Valjean, também conhecido como prisioneiro 24601, tem uma história bastante trágica. Ele perde os pais ainda criança, sendo criado pela irmã. Quando esta fica viúva, com sete filhos para criar, Jean começa a ajudá-la. Em um inverno, porém, não consegue emprego. Desesperado, rouba um pão. É pego e condenado a cinco anos de trabalhos forçados, que, acrescidos de diversas fugas, tornam-se 19 anos.

É expulso de todos os lugares pelo simples fato de ser ex-prisioneiro. O único que lhe oferece abrigo é o bispo de Digne. Jean Valjean rouba-lhe os talheres e foge no meio da noite. Porém, durante a fuga, ele é pego pelos policiais e levado à casa do bispo. Ao contrário do esperado, o religioso diz aos policiais que lhe dera os talheres, e lhe pergunta por que não levara os castiçais também. Tamanha compaixão vinda de um ser humano faz Jean Valjean repensar sua posição em relação aos homens e à sociedade.

O fato é que um ato de compaixão legítima abre uma nova possibilidade para Jean, que havia se perdido em um tempo de profunda crise e desesperança, levando-o a se esquecer de quem era. O olhar compassivo do bispo que o acolheu o alcançou em um momento extremo, quando ele estava no ápice da vulnerabilidade. Esquecido de quem era, da sua essência, ele agia com uma desconfiança básica, inclusive em relação aos que tentavam ajudá-lo. O modo como o religioso o tratou, contudo, produziu ao mesmo tempo um choque, mas também uma nova maneira de perceber a si mesmo. Em um clima de aceitação incondicional, de hospitalidade, de bondade e de confiança irrestrita na capacidade de mudança, Jean voltou a conectar-se com a sua essência e passou a experimentar-se como outro ser humano.

Ao fim da vida, muitos pacientes se sentem deformados. Vivenciam uma alteração significativa da imagem corporal, produzida pela doença, e outras mudanças expressivas que têm o potencial de fazê-los sentir como se habitassem um verdadeiro inferno. Quando esse paciente encontra um ser humano compassivo, que o escuta sem julgamentos, mergulhado num clima de aceitação incondicional, consegue refletir o amor que vê no olhar de quem o cerca.

10.
Cura

> *Eventualmente, você chegará a entender que o amor cura tudo, e que o amor é tudo que existe.*
>
> Gary Zukav, *The seat of the soul*

Ana é uma paciente com câncer de mama avançado, com metástases em diversas partes do corpo, inclusive metástases ósseas bastante dolorosas. Ela veio aos nossos seminários a convite de outra paciente, que também havia sido uma de nossas professoras. Chegou feliz, muito bem-vestida, com um turbante na cabeça, toda maquiada. Sentia orgulho de si mesma, e nos ensinou lições que nunca esqueceremos.

Entrevistador — *Estamos honrados com a sua presença como uma das nossas professoras, para nos ensinar a cuidar melhor dos nossos pacientes. Como lhe explicamos, este seminário tem finalidade exclusivamente didática, e gostaríamos que você se sentisse à vontade para nos contar sua experiência, com sigilo e confidencialidade.*
Ana — *Obrigada, também estou muito feliz de estar aqui. Quando minha amiga contou que tinha realizado essa entrevista para ensinar os profissionais a cuidar de pacientes, achei muito interessante, e senti que precisava fazer também.*

Entrevistador — *Nós que agradecemos por ter aceitado nosso convite. Conte um pouco de você e da sua história, como você preferir.*

Ana — *Meu nome é Ana, e descobrir que eu tenho um câncer metastático foi uma experiência massacrante e torturante, pois minha mãe teve esse mesmo câncer e morreu dele. A experiência dela foi péssima, e por isso eu tive muito medo, foi muito difícil acreditar que eu ia passar pela mesma situação.*

Entrevistador — *O que tornou mais difícil?*

Ana — *Para você ter uma ideia de como foi difícil, eu fiz o exame e só depois de um ano tive coragem de ir buscar o resultado. Era muito difícil pra mim me ver com a mesma doença da minha mãe.*

Entrevistador — *Então, você já se via com a mesma doença da sua mãe. Que sinais você percebeu antes de receber o diagnóstico?*

Ana — *Eu estava tomando banho e senti um caroço no seio. Toquei e já sabia o que era, porque eu esperava por isso, mas naquela época não tive coragem de encarar a realidade. A experiência com a minha mãe já tinha sido muito difícil, ela sofreu muito, e eu não queria isso para mim.*

Entrevistador — *Quando você estava no banho, e se deu conta disso tudo, que futuro apareceu para você?*

Ana — *Um buraco se abriu na minha frente, e era muito, mas muito fundo.*

Entrevistador — *Então, me parece que essa experiência com a sua mãe te marcou muito.*

Ana — *Sim, foi uma experiência excruciante. Minha mãe sentia muitas dores, e eu não sabia o que fazer para aliviar. Não conseguia um tratamento bom para ela, e ela estava sempre na fila de espera de algum exame, de alguma coisa, e isso só ia piorando a condição ela. Ela chegou a ter buracos no corpo;*

dava pra ver o osso, o músculo, e o cheiro era insuportável. Foi um desespero ver todo o sofrimento da minha mãe sem poder fazer alguma coisa pra aliviar. Eu mal sabia o que ela tinha, porque por mais que a gente perguntasse, não explicavam direito, sabe? Me disseram que era um nódulo, e teve uma vez que ela estava internada e esqueceram o prontuário dela na enfermaria. Eu peguei o prontuário escondida, na esperança de finalmente descobrir o que a minha mãe tinha, mas não entendi nada. Anotei algumas coisas e fui para o Google ver o que era.

Entrevistador — *Entendo, e sequer imagino o quanto isso tudo tenha sido difícil para você. Como essa história se relaciona com a sua situação presente?*

Ana — *Por um ano, eu não procurei o tratamento e escondi da minha família o diagnóstico. Eu não queria repetir aquela situação da minha mãe, fazer meus filhos sofrer o que eu sofri, vendo ela com tanta dor em cima de uma cama. Isso só foi mudar quando meu irmão me convidou para entrar no casamento dele no lugar da nossa mãe, e isso me fez sair do buraco. Quando me vi ali, parada na porta da igreja, com meu irmão de braços dados comigo e as pessoas que eu mais amava no mundo nos olhando, eu me dei conta de que aquele lugar era da minha mãe, e eu não era a minha mãe. Não era justo eu esconder isso deles e repetir a história. O casamento foi num sábado, e na segunda-feira eu fui ao médico.*

Entrevistador — *Parece que o casamento foi um marco importante nessa trajetória. Quando você estava lá, e viu seus entes queridos olhando pra você, o que você viu nos olhos deles?*

Ana — *Comecei a ver que tudo na nossa vida tem um lado bom, e a partir daí descobri isso. Foi muito importante ter ido naquele casamento, eu virei a chave ali, acho. Eu me dei conta* *de que precisava me cuidar. Eu precisava de ajuda, e por eles eu tive coragem.*

Entrevistador — *E como foi depois do casamento?*

Ana — *Eu ainda não sabia como tirar da cabeça a ideia de que eu ia morrer e botar a ideia que eu ia viver.*

Entrevistador — *Isso mudou em algum momento? Se sim, como?*

Ana — *Na segunda-feira depois do casamento, eu estava diante do médico, que me disse: "Não acredito que você fez isso com você mesma", e tive pavor. Fui explicando o que aconteceu com a minha mãe, e a falta de cuidado e de atenção que ela teve, esperando meses e meses em filas de exames. Pensar que isso se repetiria me apavorava, mas percebi no casamento que não cuidar de mim seria muito pior, seria abandonar a minha família, e eu com certeza repetiria toda a história. Fui falando pra ele de todo o meu medo, e ele foi me ouvindo. Até que ele pegou minhas mãos e disse, olhando nos meus olhos: "Eu estarei ao seu lado o tempo todo".*

Entrevistador — *E como foi ouvir isso?*

Ana — *Isso me deu muita segurança, e eu não esperava, depois de ter visto tudo que a minha mãe passou. Eu não acreditava que existisse médico assim, como ele.*

Entrevistador — *Quem seu médico se tornou para você desde então?*

Ana — *Ele se tornou o meu anjo.*

Entrevistador — *De que forma ele se fazia um anjo para você?*

Ana — *Ele estava sempre perto, sempre muito disponível. Eu podia ligar para ele a qualquer hora: ele sempre atendia. Teve vezes em que precisei me internar por uns dias, e ele ficava comigo mesmo quando não era plantão dele. Eu podia contar com ele para tudo, e ele estava sempre lá, sempre disponível. Quando ele disse que ia me mandar para a quimioterapia, eu já não tinha medo de mais nada. Sabia que ele estaria ao meu lado, que podia contar com ele, e isso fez toda diferença. Sabe que eu cheguei a tatuar os meus anjos na pele?* [Ela levanta os braços e mostra os nomes dos membros da equipe tatuados]

Entrevistador — *Quem eles se tornaram para você quando você os tatuou?*

Ana — *Eles se tornaram os anjos que me mantêm viva.*

Entrevistador — *Então, parece que a sua experiência com a doença se transformou, e o futuro não parecia mais que ia repetir o passado. É isso mesmo?*

Ana — *Sim, com certeza. Eu aprendi a dar valor ao que eu não dava antes, e não tive mais medo de nada, nem de morrer. Sempre tive um tratamento muito humanizado, mas vejo que nem todos têm. Quando descobrimos a metástase, meu médico explicou que ia mudar o protocolo, e disse: "Metástase tem tratamento, então vamos tratar, vamos fazer".*

Entrevistador — *E como foi isso pra você?*

Ana — *Muito importante, eu fiquei muito aliviada. O diagnóstico da metástase acabou comigo, mas saber que eu tinha alguém ali ao meu lado me dava a certeza de que eu conseguiria passar por todas as dificuldades. Eu ia vencer, independentemente do que acontecesse. Tenho pena de quem não tem um médico como o meu, porque nem todo médico sabe como fazer.*

Entrevistador — *Sabe como fazer o quê?*

Ana — *Dar a notícia do diagnóstico de metástase, por exemplo. Tem que ter o cuidado de ser num lugar privado, com delicadeza, com uma terceira pessoa ali, que seja importante pro paciente, porque é muito difícil receber essa informação sozinho. Nem todos os médicos têm esse cuidado.*

Entrevistador — *E como tem sido a sua vida hoje?*

Ana — *Viver hoje é um dia de cada vez, e faço questão de postar tudo no Facebook, para ninguém perguntar nada depois. Para mim a vida é um dia, e eu não tenho que aturar as minhas dores, elas que têm de me aturar. Eu me levanto e vou viver.*

Entrevistador — *E, quando você vai viver, o que isso diz de você?*

Ana — *Diz que estou viva! Mas tem hora que eu fico na minha...*

Entrevistador — *E, quando você fica na sua, o que isso diz de você?*

Ana — *Que não quero incomodar ninguém com minha situação. Eu tenho muitas vontades para realizar, muita vida pra viver.*

Entrevistador — *Que vontade que você tem para realizar?*

Ana — *Ajudar as pessoas a terem o mesmo tratamento que eu tive, com o mesmo cuidado da equipe de saúde, sabe? Eu tive muito com os meus anjos, e luto para que as pessoas tenham isso também.*

Entrevistador — *E como você faz isso?*

Ana — *A gente tem um grupo de apoio para pessoas com câncer, faço trabalho voluntário, ensino as pessoas a lutar pelos seus direitos, vou nas enfermarias, cuido de pacientes como eu. E, quando posso, peço para os meus anjos, meus médicos, que atendam as pessoas que estão sem atendimento, sem recursos, e a gente dá um jeito para que elas recebam o cuidado que precisam.*

Entrevistador — *E quem você se torna fazendo isso?*

Ana — *Eu me torno eu mesma. A gente tem que ajudar o próximo porque nunca sabe a nossa hora... E, sabe... eu conheci uma mulher que descobriu um câncer, e a irmã dela tinha morrido disso. Para morrer, todo mundo está na fila, e ninguém sabe a ordem de ninguém nessa fila.*

Entrevistador — *E o que é a morte para você?*
Ana — *Hoje, eu vejo a morte como você saindo da sua zona de conforto, mesmo sem saber para onde vamos. Não é porque tenho metástase que sou obrigada a morrer amanhã. Até a morte, a gente tem que ajudar, mas acho que a gente vive sem tempo uns para os outros. Ninguém tem tempo para nada hoje em dia, até que você descobre que tem. Comigo foi assim.*
Entrevistador — *Se a sua parte mais sábia pudesse falar, se o seu sábio interior tivesse voz, o que ele deixaria para essa turma de profissionais de saúde que nos assistem neste exato momento?*
Ana — *Dê atenção ao seu paciente, olhe para ele da mesma forma que você olharia para a sua mãe se tivesse que contar a ela que tem câncer, ou metástase. Dê um pouquinho de atenção para a pessoa, e não esqueça de dar o Oncocard, porque o melhor lado da vida vem com o Oncocard. Ele abre as portas, e compra o que o dinheiro não compra. [risos]*
Entrevistador — *O que é o Oncocard?*
Ana — *É um cartão que te dá crédito de vida, mesmo que você tenha uma metástase incurável, sabe? [risos na plateia] Você pode usar para o que der e vier, para escolher ser mais feliz, e não precisa ficar doente para começar a usar. Acho que isso é o mais importante para ficar aqui pra vocês também, sabe? Sejam felizes.*
Entrevistador — *Nós agradecemos demais a sua presença aqui conosco.*
Ana — *Eu que agradeço. Para mim foi muito especial estar aqui com vocês nesta noite. Obrigada.*

O caso de Ana começa revelando uma situação absolutamente trágica quanto à experiência de sua mãe, e justifica a atitude evitativa e fóbica de Ana em relação ao exame e ao adiamento do retorno ao médico. Isso ilustra quanto uma experiência de sofrimento evitável tem impacto sobre a família, e quanto a maneira como cuidamos dos pacientes pode influenciar as futuras gerações. Devemos estar atentos ao impacto de nossas ações, pois elas podem atingir a quem menos imaginamos, uma vez que a assistência prestada pode se tornar referência de cuidados em saúde para os que estão ao redor do paciente, que aprendem com essa experiência por meio da observação. Assim, Ana prefere evitar o tratamento com medo de passar pelo mesmo sofrimento relacionado à assistência inadequada que sua mãe viveu.

Uma experiência significativa foi o casamento do irmão. Ao ficar no lugar da mãe, Ana teve a chance de observar seus entes queridos de outra perspectiva. Essa experiência impactante a tornou apta a encarar a possível realidade de um diagnóstico potencialmente fatal. Naquele momento, ela percebeu que o que estava fazendo com a família e consigo mesma não era justo.

Ana estava incerta quanto ao que o futuro lhe reservava, pois a morte lhe parecia não apenas inevitável como também apavorante. O encontro com seu médico mudou isso. Ele despertou nela sentimentos de segurança, o que lhe deu uma base estável para desenvolver um senso de coragem e enfrentar o tratamento, mesmo com todo o medo que sentia. O forte vínculo entre eles a auxiliou a lidar com a própria insegurança. Com isso, o futuro não lhe parecia ser mais objeto de pavor e incerteza, pois o tratamento já se mostrava diferente do da mãe. Ana recebia informações clínicas claras, contava com o apoio do médico, tinha os direitos preservados e se sentia autônoma, participando de todo o tratamento. Nem mesmo o surgimento da metástase mudou essa realidade, pois foi o vínculo médico-paciente que a ajudou a se sentir amparada e fortalecida para enfrentar o tratamento.

Depois de contar com toda a equipe de saúde, Ana transformou sua relação com a vida como um todo, inclusive mudando seus valores. Ela passou a valorizar o tempo, as pequenas conquistas do dia a dia, incluindo os ganhos que a doença lhe trouxe. Além disso, preservou o senso de solidariedade como forma de dar sentido à vida, percebendo que partilhamos da mesma ignorância a respeito de quando morreremos. Como ela mesma diz, "ninguém sabe a ordem de ninguém nessa fila".

Ana se moveu em direção a uma cura interna significativa, e isso só foi possível porque ela se permitiu abandonar o medo de passar pelo mesmo sofrimento da mãe e abraçou com coragem o que o presente lhe oferecia. A cura do seu medo atravessa o seu encontro amoroso com quem lhe estende a mão e lhe oferece um olhar de aconchego, onde ela, enfim, encontra forças para enfrentar o tratamento. Cura para ela não significa eliminar a doença, mas tornar-se uma pessoa renovada, diariamente. Por isso, ousamos dizer que Ana tem a coragem de renascer a cada dia, justamente porque tem forças para sair da sua zona de conforto e ajudar aqueles que não têm acesso a tratamentos de qualidade como ela. Desse modo, Ana escolhe que vai continuar conectada consigo mesma, construindo uma vida plena de sentido e amor.

Tivemos um grande amigo, médico, que tinha habilidades clínicas impressionantes. Ele dominava com excelência a arte de aliviar os muitos sintomas que as pessoas enfrentam na lida com uma doença potencialmente fatal, entre elas o câncer, a aids, as doenças cardíacas e pulmonares graves, sem contar as doenças renais graves e as neurológicas. No entanto, além da capacidade de aliviar sintomas, ele também dominava amplas habilidades psicossociais para lidar com pacientes e famílias diante da morte. Assim, era um médico muito querido por todos os que o conheciam. Sua voz era doce e toda sua habilidade transmitia uma segurança que amenizava o desespero daqueles que contavam com ele. Essa segurança era transmitida nos detalhes, no sorriso sempre presente, no olhar que via a real necessidade de cada paciente, na presença constante durante todo o processo e no cotidiano da família. Muitos pacientes e familiares o tinham como uma figura imprescindível e indispensável, e era comum que ele ouvisse as seguinte frases: "Você é um anjo na nossa vida", "O que seria da gente sem você?", "Que bom que Deus colocou você ao nosso lado", "Eu não sei como faria se você não estivesse aqui".

Esse médico sentia que fazia diferença e ajudava de verdade, percebia como fazia sentido todo o tempo dedicado à profissão, todo aquele estudo e empenho para ajudar o próximo. E, com todo o reconhecimento que recebia de volta, ele sentia que aquele era seu lugar. Assim, passou a sentir que era um anjo. Como era bom ser anjo, como era bom ser reconhecido assim! E, sem confessar a ninguém, ele sentia o movimento lento e confortável de suas grandes asas se abrirem diante do paciente.

Nosso amigo passou a ficar mais tempo com os pacientes e a sair cada vez mais tarde dos plantões. Já não fazia tanta questão de ir para casa e ficar com a família. As conversas com antigos amigos se tornaram fúteis: ninguém fazia ideia do que ele experimentava sendo anjo, seus valores não se encaixavam mais com o que ele encontrava fora da posição de anjo.

Então, ele começou a sacrificar partes muito importantes da sua vida em nome do amor aos pacientes. Tornou-se um tripé para os doentes, sobretudo os mais graves, de modo que eles ficavam cada vez mais dependentes dele. Nosso amigo passou a ocupar uma posição cada vez mais central na vida dos seus 50 pacientes semanais, e isso foi se fazendo sentir em todos os domínios da sua vida.

Aos poucos, ele foi perdendo a capacidade de produzir a própria energia, e se tornou monotemático. O trabalho com pessoas diante da morte ou em processo de luto passou a ser sua principal obsessão, e aquilo que antes lhe dava prazer, como sair com os amigos para se divertir ou tomar uma cerveja gelada na sexta-feira, perdeu o sentido. Afinal, ele sentia que seus valores haviam mudado. Como agora era um anjo, se encaixava em poucos lugares. Cada dia mais aderido subjetivamente ao seu papel angelical, ele foi perdendo peso, pois não se alimentava direito. Era comum substituir refeições por um rápido salgado ou sanduíche, e em certos dias não dava tempo de comer. Claro que ele só fazia isso porque sua prioridade era cuidar das pessoas em sofrimento. Ele era visto no hospital nos dias que não estava escalado, apenas para saber se os pacientes estavam bem ou se alguém estava precisando dele para alguma coisa importante. Uma de suas pacientes sofria com muita sede e, como estava no pós-operatório, não podia tomar água. Então, ao longo do dia, ele foi ao seu leito diversas vezes para molhar seus lábios com gaze umedecida e assim diminuir seu desconforto. Mas certa noite, oito horas depois de deixar o plantão, nosso amigo não conseguia parar de pensar na paciente. Tornou-se insuportável para ele a ideia de que ela estivesse sofrendo demais sem ter ninguém para molhar seus lábios. Sem aguentar mais, ele se vestiu e foi para o hospital atendê-la, sem perceber as implicações desse movimento.

Aos poucos, vimos o nosso amigo adoecer. Todas as tentativas de ajudá-lo a reconhecer o que estava fazendo da própria vida foram infrutíferas, de modo que ele passou a ser um anjo que, além de não perceber o que fazia consigo, também não dava mais ouvidos aos conselhos e apelos de seus amigos terrenais. Julgava que tinha todas as competências técnicas e humanas necessárias para o seu trabalho, pois era valorizado pelos pacientes, aclamado pelos hospitais e muito solicitado pela sua capacidade de se conectar com a dor dos seres humanos. No entanto, problemas mais graves não tardaram a aparecer.

Aos poucos, nosso amigo foi assumindo cada vez mais riscos em nome dos pacientes. Tornou-se uma pessoa cada vez mais afastada da vida social, estafada, chorosa, estressada, e passou a inverter a relação de cuidado, inclusive nos atendimentos em consultório. Se antes ele era o médico que cuidava, havia dias em que precisava de cuidado, e era comum que ele solicitasse aos seus pacientes que lhe aplicassem uma massagem ou lhe ajudassem de alguma outra maneira. "Isso é para ajudá-los a recuperar a capacidade de se sentir úteis", dizia ele. Quando questionado se agia assim para ajudar os pacientes, e não para atender, antes de tudo, a uma necessidade dele mesmo, o médico se enfurecia e se afastava. Alguns pacientes até demonstravam certo estranhamento na inversão de papéis durante a consulta, mas era tão bom também ajudar o querido e precioso anjo a se sentir melhor... Afinal, ele fazia tanto por aqueles pacientes que era quase uma honra retribuir seu cuidado.

Houve um momento em que nosso amigo se sentiu mais afetado: foi quando um de seus pacientes gravemente enfermos se matou. Essa experiência radical o levou a tatuar na própria pele o nome desse homem, a fim de eternizá-lo. Isso nos mostrou quanto ele estava contratransferido com aquela dor. O médico, naquele ponto da vida, já estava dando sinais de profundo esgotamento emocional, apesar de continuar seus trabalhos de assistência e com um elevado número de pacientes. No entanto, dia a dia, quanto mais ele se dedicava e mais era admirado pelos pacientes, mais sacrificava o autocuidado e a capacidade de estar presente na própria vida. A cada dia que passava, ele se afastava mais do exercício de estar atento à sua dor.

E assim, aos poucos, foi abandonando o autocuidado. Aos poucos, ficou com ar de adoecido, até que um dia assumiu essa posição e se percebeu sem energia para continuar. Certo dia, nosso amigo pereceu, porque a vida se tornou insuportável para ele. O fato de sustentar tantos pacientes para que eles conseguissem se manter em pé o fez perder lentamente as asas de anjo. A notícia de sua morte provocou profunda comoção em centenas de famílias que haviam sido acompanhadas por ele, e seu velório foi marcado por muitos relatos de como ele fora importante para cada pessoa ali presente. Foi triste ouvir tantas histórias do nosso amigo e perceber que seu imenso sofrimento interno jazia desconhecido de muitas daquelas pessoas. Nosso amigo construiu uma vida em que esses sofrimentos eram camuflados. O fato é que ele morreu rigorosamente como viveu.

Esse querido médico nos ensinou diversas coisas, e continua ensinando até hoje. Chamamos o sofrimento vivenciado por ele de síndrome do anjo — uma síndrome complexa, marcada pela tentativa de se tornar de fato uma figura angelical, que tenta evitar que a pessoa que está morrendo ou em processo de luto sofra. Além disso, a síndrome do anjo se relaciona com o papel central que o profissional de saúde passa a ocupar na vida da pessoa adoecida, sem que ele a ajude a se tornar autônoma em relação a ele. Aos poucos, os pacientes se tornam cada vez mais dependentes do profissional de saúde que o acompanha e os pedidos de visitas aumentam — os quais o profissional de saúde acometido por essa síndrome atende com prazer e um imenso sentimento de utilidade e sentido na vida.

Afinal, o profissional de saúde na realidade do Brasil enfrenta muitas jornadas de trabalho, passa anos estudando para se manter atualizado, gasta fortunas com viagens a congressos, cursos de atualização, especializações e, considerando-se a realidade das nossas cidades, ainda enfrenta horas no trânsito e se submete a jornadas de trabalho nem sempre tão bem remuneradas e muitas vezes sem condições adequadas de oferecer a assistência necessária. De certa maneira, ser reconhecido como anjo pelos pacientes aplaca as angústias e dá um imenso sentido ao sofrimento, a todo o cansaço e a todas as frustrações que o profissional de saúde enfrenta em seu dia a dia.

Ao longo de sua formação, os profissionais de saúde são treinados para preservar a vida, algo presente no discurso de muitos estudantes dessa área. Há no discurso comum desses estudantes a narrativa de que desejam "salvar vidas", "fazer o bem", "aliviar o sofrimento" e "ajudar as pessoas". De alguma maneira, quando eles descobrem que podem ajudar as pessoas em todas as situações, inclusive diante da proximidade da morte, redescobrem um sentido mais profundo para a vida, e identificam-se com a posição do anjo. Isso não é necessariamente um problema, mas essas pessoas precisarão desenvolver a consciência de que estão agindo como anjos, e precisarão redobrar a atenção e o respeito aos próprios limites. Para muitas delas, assumir a posição de anjo é estruturante em termos psíquicos, mas é importante que elas encontrem um equilíbrio maior entre atender às necessidades dos outros e cuidar das próprias necessidades.

Não há nada de errado em ser ou não ser anjo, porque não há um certo ou um errado em relação ao que faz sentido para cada um de nós. O importante é estarmos atentos às nossas reações emocionais, não como forma de controle, mas de autoconhecimento. Permitir-nos exercitar uma percepção mais aprofundada sobre quem nos tornamos diante do outro é uma fonte de bênçãos, e pode nos dar grandes insights sobre o sentido que damos à nossa vida. Perceber até que ponto a síndrome do anjo ocupa a nossa rotina, a nossa profissão, e analisar se isso de fato está impedindo a nossa capacidade de viver nossa existência é um passo importante para exercermos bem o nosso trabalho.

O caso de Ana mostra como os pacientes podem se beneficiar de profissionais que realmente se importam, e como isso dá aos primeiros segurança para lidar com os medos e as angústias decorrentes de uma doença grave. Porém, também somos convidados a pensar em quem nos tornamos diante de cada paciente, nas emoções que eles nos evocam e no cuidado que investimos neles — por vezes, em detrimento do cuidado conosco e dos que estão ao nosso redor.

Tudo isso nos leva a pensar que, antes de nos sentarmos ao lado de alguém que está morrendo, precisamos de fato cuidar das nossas tarefas inacabadas, dos nossos lutos, dos conflitos não resolvidos e do nosso sofrimento. De outra forma, corremos o risco de usar os pacientes, ainda que de maneira indireta, para tratar de questões pessoais — sobretudo quando desenvolvemos a síndrome do anjo. Na medida em que desenvolve recursos para cuidar de si, o profissional de saúde se torna mais apto a cuidar dos pacientes, sem torná-los cada vez mais dependentes de si. Ele os incentiva a explorar o mundo, a desenvolver recursos para lidar com os próprios problemas, a encontrar coragem para usar a própria voz — enfim, devolve ao paciente a autonomia para lidar com a própria vida.

A cura acontece quando tomamos consciência das nossas dores e cuidamos delas amorosamente, dando-lhes abrigo no coração. Isso só é possível se estamos em contato com nossa intimidade e abrimos espaço para que o amor incondicional não seja dirigido apenas aos outros, mas também a nós mesmos.

11.
Legado

*Temo somente uma coisa:
não ser digno do meu sofrimento.*
Dostoievsky

Muitas vezes, usamos a palavra "legado" para nos referir ao que uma pessoa deixa para este mundo — a como ela será lembrada. Em outras palavras, legado é o que deixamos para trás (ou para a frente, a depender do ponto de vista). O termo "legado" — e seu uso clínico em intervenções psicossociais — não havia sido amplamente adotado na literatura de cuidados paliativos até pouco tempo, talvez por ser um conceito tão complexo. Definições de dicionário e a etimologia da palavra não são muito úteis. Os alfarrábios sugerem que "legado" é uma "propriedade deixada por vontade" ou um "dom deixado por vontade". Outras fontes sugerem que o termo deriva de *legate*, implicando um designado, embaixador, enviado, ou talvez "mensageiro". Isso sugere que "legado", de fato, é o meio pelo qual transmitimos informações vitais, valores, tradições e sabedoria para a próxima geração. O legado é nosso DNA espiritual e cultural; é o reflexo da vida que fica de cada um de nós depois que partimos.

Quando uma estrela morre, ainda que esteja a centenas de milhares de quilômetros de nós, seu brilho continua cintilando na noite escura e chega aos nossos olhos muito tempo depois que o corpo celeste morreu. Todos nós somos corpos celestes destinados a desaparecer algum dia, e nossa vida também continuará refletindo por tempo indeterminado, até que essa luz se apague. Não sabemos qual será a intensidade desse brilho, e nem quem se conectará com esse legado, mas diante da morte por vezes lutamos para que ele seja digno aos nossos olhos.

Conceber o "legado" como um modo de transmissão de informações espirituais, noções culturais vitais e sabedoria sugere que é ele um *continuum* em constante evolução. Há, portanto, o "legado que nos é dado" receber de nossos antepassados (por exemplo, avós, pais), e o "legado que damos" à próxima geração. O legado que nos é dado molda-nos de maneiras que muitas vezes são evidentes (às vezes menos): são os valores, virtudes, tradições e atitudes que escolhemos adotar ou rejeitar. Ele ajuda a definir "quem" e "o que" nos tornamos ao longo da existência. Por vezes, tais legados são fardos que destroem — ou nos distraem de — nossa capacidade de sustentar uma vida verdadeiramente autêntica; noutras vezes, constituem elementos que inspiram a transcendência e proporcionam uma missão e um propósito que conduzem à vida autêntica e plena.

Nossa próxima professora nos mostrou como a consciência de estar produzindo um legado significativo, que impactará beneficamente aqueles que sobreviverão à sua morte, pode se tornar um meio de dar novo sentido à vida.

Entrevistador — *Obrigado por ter vindo atender ao nosso convite para ser nossa professora nesta noite. Agradecemos imensamente.*
Michele — *Estou muito feliz de estar aqui. Para mim, isso é muito importante.*
Entrevistador — *O que significa para você estar aqui?*

Michele — *Para mim, é uma vitória estar aqui falando para essa turma de profissionais e pensar que, de alguma maneira, isso pode vir a fazer diferença para outro paciente, lá na frente. Daqui a alguns anos, isso que estou dizendo a vocês poderá beneficiar alguém com o mesmo diagnóstico que o meu.*

Entrevistador — *Quando você olha para esses alunos presentes na plateia, o que você acha importante dividir com eles?*

Michele — *Olha, quando eu fui fazer o meu exame, o residente foi muito atencioso comigo. Eu estava nervosa, daquele jeito que eu não consigo entender direito o que estão falando, e ele segurou a minha mão, olhou nos meus olhos e pacientemente me explicou tudo de novo. Ele respondeu todas as minhas perguntas, e quando não sabia uma resposta, explicava que não sabia me dizer, mas que estaria comigo. Ele tocou em meu corpo e segurou a minha mão. Eu me senti muito segura com ele...*

Entrevistador — *Você parece nos dizer que o toque é importante para você. É isso mesmo?*

Michele — *Sim! Muito! Teve uma vez que o médico-chefe chamou vários residentes para verem meu seio, percebi que eles ficaram receosos e não me tocaram. Eu falei para eles: "Podem tocar! Vocês precisam aprender sobre essa doença! Quero que botem a mão em mim e aprendam, porque vai servir para outro paciente daqui a dez anos".*

Entrevistador — *E quando eles tocaram você, como foi?*

Michele — *Eles pareciam os meus filhos me dando a mão. Tinham umas carinhas lindas, tão bonitinhas.*

Entrevistador — *E quem você se tornou permitindo que esses residentes a tocassem?*

Michele — *E virei a professora, permitindo que eles pudessem se tornar ótimos médicos. Porque a gente não faz as coisas só pensando na gente, mas nos outros pacientes que virão no futuro, né?*

Entrevistador — *Sim, claro. Houve algum em especial que mais lhe ajudou? Você estava sem ninguém da família?*

Michele — *Eu tinha um amigo que eu fiz ali na hora, porque ele segurava a minha mão e ainda colocava gelo sob a minha axila, para que eu aguentasse o exame do começo ao fim. Ele fez isso com muito amor e respeito, porque ficou comigo o tempo todo, sem pressa de ir embora, segurando a minha mão. Anos depois, a gente se reencontrou, acredita? Ele se lembrou de mim, e eu nunca vou me esquecer dele.*

Entrevistador — *Nada como atravessar uma experiência dessas com um amigo ao lado, não?*

Michele — *Não tem nem comparação. Tem médico que não olha para a cara da gente, que é frio e duro, médico que não toca é muito profissional. Levar muito a sério a profissão pode ser importante, mas tem que saber relaxar também. Conheço médico assim, mas eu só gosto dele na parte profissional, e não gosto dele em mais nada.*

Entrevistador — *E qual foi o resultado desse exame?*

Michele — *Recebi o diagnóstico de câncer de mama, mas já com metástases no cérebro, nos ossos e nos rins. Hoje eu tomo morfina de quatro em quatro horas, mais dipirona, para não ter dor. Quando recebi esse diagnóstico, meu marido estava ao meu lado, ainda bem que ele estava comigo, porque eu mesma não prestei atenção em mais nada depois da palavra metástase. Ele poderia ficar falando horas sobre o que eu tinha, mas era como se eu não estivesse mais ali.*

Entrevistador — *Se você não estava mais ali, onde você estava?*

Michele — *Eu estava com a cabeça nos meus filhos. Fiquei preocupada com os meus filhos, especialmente com o que tem autismo, e me perguntava como é que eles iam se virar sem mim.*

Entrevistador — *E como é que eles iam se virar sem você?*
Michele — *No começo, eu tive muito medo, porque eles iam se dar mal, não sabiam fazer nada, eu fazia tudo por eles, mesmo trabalhando tanto, dia e noite, como cozinheira num hostel. Eu mais morava no trabalho do que em casa, e quando chegava em casa eu ia arrumar tudo, até não ter mais forças, e deixava tudo prontinho. Roupas passadas, comida pronta, casa cheirosa e arrumada e eu mortinha. Mas valia a pena. Eu adorava fazer isso. Assim, eu cuidava deles. Pelo menos, era o que eu achava, né?*
Entrevistador — *Isso mudou em algum momento? Se sim, como?*
Michele — *Sim, sim. Graças a Deus, tudo mudou. Quer dizer, a Deus e à doença, né? Porque eu não consegui mais fazer essas coisas todas, ficava muito cansada, cada vez mais cansada e com dor. Estava muito angustiada, e aí certo dia minha mãe disse: "Filha, por que você não ensina as coisas de casa para eles se virarem?" Aí, nesse dia, mudou tudo. Eu passei a mandar eles limparem o chão, lavar roupa, varrer a casa. Mas fazer a comida eu ainda gosto, embora eles saibam fazer ovo mexido e arroz. E quem sabe fazer ovo e arroz não morre de fome e se vira bem, né? Hoje em dia, eles não me deixam fazer nada. Quando eu pego uma vassoura, vem alguém correndo e tira da minha mão. Eu digo: "Ah, é? Então, tá bom! Vai deixar limpinho!" Eles não sabem o que fizeram. Como é aquela frase? "Dê dinheiro, mas não dê poder!", eu acho. É isso mesmo. Eu mando e eles obedecem. Assim, eles aprenderam a fazer todas as coisas, e embora isso me dê tristeza, por um lado, me dá um imenso alívio, por outro. Eles vão poder se virar mesmo sem mim.*
Entrevistador — *E quem você se tornou depois de tudo isso?*
Michele — *Eu me tornei a mãe deles, só que agora diferente.*

Entrevistador — *Entendo. Vamos voltar um pouco para o momento em que você estava recebendo o diagnóstico. Como você estava, naquele exato momento?*

Michele — *Eu estava muito atordoada, mas o médico conseguiu ir me trazendo de volta quando foi falando de um jeito que me acalmou. Ele disse que eu não tinha cura, mas tinha tratamento; ele disse que era para eu me imaginar como uma paciente crônica, que era para tomar os remédios o resto da vida, e que tinha muita coisa para fazer por mim. Isso foi me acalmando, e me tranquilizou. Ele me disse que seu eu tivesse diabetes, por exemplo, teria que tomar remédio todos os dias e controlar a glicose. Com o câncer não seria diferente. Isso me acalmou, mas eu fiquei muito triste e com raiva.*

Entrevistador — *Você chegou a se perguntar "Por que comigo?"*

Michele — *Cheguei sim, mas também me perguntei: "Por que não comigo?"*

Entrevistador — *Entendo. E como tem sido desde então?*

Michele — *Eu me trato num hospital público, e nessa enfermaria tem uns residentes e o doutor, chefe dos residentes. Eu não gosto muito dele, não. Evito ir para a consulta dele, né? Se é ele que me chama no corredor, finjo que estou dormindo, e imito até um ronco. Assim, descobri que ele passa o prontuário para um dos residentes, e eu prefiro muito mais os residentes do que o chefe deles, porque eles são muito mais legais, e são meus amigos.*

Entrevistador — *O que você enxerga neles que mostra que são seus amigos?*

Michele — *Eles me chamam pelo meu apelido com todo o carinho: "Mimi, ei, psiu!" Logo que me chamam, abrem os braços e dão um lindo sorriso. Eu gosto quando o médico me chama pelo meu nome, porque isso mostra que ele é meu nome. Eu boto a minha vida na mão dele, o mínimo é ele me chamar pelo* nome. Isso mostra pra mim que eles se importam, que eles me conhecem e me entendem muito bem. É por isso que eu digo que sou amiga deles, e fico até tirando onda dizendo que eu sou amiga dos doutores do hospital, porque na verdade eu gosto deles também. Até tem uma amiga que diz: "Hum, você está importante, né?" E estou mesmo, porque eu me sinto importante para eles. Sei que um dia eles vão me dizer que a medicina não pode me oferecer mais nenhuma quimioterapia ou radioterapia, vão dizer que não tem mais muito a fazer para controlar a minha doença, mas eu tenho certeza que ainda assim eles vão segurar a minha mão e me dar um abraço.

Entrevistador — *E o que isso vai significar para você?*

Michele — *Um sopro de vida. Porque eu sei que eles estão ali. Residentes e médicos gostam de conversar comigo.*

Entrevistador — *Você percebe certas pessoas que não gostam de falar de certos assuntos com você?*

Michele — *Sim, quando eu falo em metástase, as pessoas fogem. Eu não entendo o porquê, pois na verdade eu gosto de botar elas para cima. Se elas estão começando o tratamento, eu digo: "Tenho metástase em tudo, e você está aí no comecinho de um câncer, com grandes chances de cura". Mas tem uma divisão, como se fossem dois times: o grupo dos pacientes que têm metástases e o grupo dos pacientes que não têm.*

Entrevistador — *Você tem algum medo?*

Michele — *Eu tenho medo de morrer.*

Entrevistador — *Do que exatamente você tem medo?*

Michele — *Eu tenho medo do desconhecido, porque a cabeça fala uma coisa e o coração fala outra.*

Entrevistador — *O que a cabeça fala?*

Michele — *Ela fala que eu não sei o que vai acontecer, é um papel em branco. Morrer é não saber o que vai acontecer, é o desconhecido.*

Entrevistador — E o que fala o coração?
Michele — *O coração fala que eu vou para um lugar lindo, um jardim com muito verde, um lindo arco-íris, meus parentes que já morreram antes de mim, e uma coisa que vocês vão achar bobo, e vão pensar que sou doida, mas lá também vai ter unicórnios. Mas a minha mente briga comigo, porque o meu coração quer que seja assim, mas a minha razão não me deixa ter certeza.*
Entrevistador — Como tem sido lidar com tudo isso hoje em dia?
Michele — *Um dia estou deprimida, de luto, outros eu não estou. Fico mal um dia, peço a Deus forças, a família ajuda e sigo em frente. Às vezes, quero fazer alguma coisa que minha família não deixa. Eu me sinto inválida quando eles não me deixam fazer as coisas, sinto que não sirvo para nada e estou numa redoma de vidro. Às vezes, eles deixam eu fazer alguma coisa. E, quando eu arrumo a casa, fico com dor, com muita dor, mas vale a pena, porque eu volto a ser a Michele de antigamente.*
Entrevistador — Você nota que a sua família mudou com a experiência da sua doença?
Michele — *Sim, e muito. Minha filha passou a ter raiva de Deus, e isso me preocupou muito, porque Ele não tem culpa de nada. Minha sobrinha sempre trabalhou muito, e nunca foi de dar importância ao tempo com a família. Ela sempre foi parecida comigo. Mas hoje ela me dá ouvidos, e faz um esforço de encontrar esse tempo para estar com os filhos, porque eu conto para ela que trabalhei demais, estava muito acelerada, e Deus me fez ficar paradinha, com um diagnóstico de câncer e com minha família. Hoje eu tenho tempo para ficar com a minha família e ainda ajudar as pessoas da minha comunidade, porque assim a gente vai fazendo diferença.*

Entrevistador — *Como é estar aqui hoje falando para esses alunos?*
Michele — *Eu me sinto orgulhosa falando para médicos.*
Entrevistador — *Se a sua parte mais bonita, mais sábia, pudesse falar para os alunos que te assistem, e que ela diria?*
Michele — *Ela diria que façam tudo com carinho, respeito e amor, como se fossem sua mãe, sua irmã e seu pai, mesmo quando não tiverem mais nada a fazer para curar aquela pessoa.*

A proximidade da morte fez Michele repensar tanto o seu papel de filha como o de mãe. De certa forma, o sentido de sua vida estava em manter a casa arrumada, a roupa da família passada, comida feita, e em passar horas trabalhando fora. Era assim que Michele se conectava com a família, expressava o seu amor e o seu cuidado com cada um de seus membros. No entanto, a partir do diagnóstico, Michele se defrontou com as limitações impostas pela doença, e passou a não conseguir mais realizar, da mesma forma, tarefas que antes faziam parte do seu cotidiano. Com a proximidade da morte, ela deparou, pela primeira vez, com a possibilidade de não estar presente no futuro dos filhos. Passou, então, por um período de transição conturbado, perguntando-se como os filhos iam continuar vivendo sem sua presença. Sentiu-se angustiada, com medo de morrer sem ter ensinado aos filhos tudo que gostaria. Ela passou tanto tempo fazendo por eles tantas coisas, que se esqueceu de ensiná-los a fazer sozinhos, tornando-se cada vez mais independentes.

Um dia, ao conversar sobre suas angústias com a mãe, recebeu o chamado da vida de ser outro tipo de mãe para os filhos. Assim, deu novo sentido à sua experiência de ser paciente de câncer, que ganhou novo propósito. Ela não vive mais à espera da morte, preocupada com as incertezas do futuro. Ao contrário, busca no presente dar aos filhos as lições mais preciosas da vida, para que saibam se cuidar na ausência dela. Parece-nos que essa mudança estrutural no sentido da maternidade repercute em outras áreas da vida, de modo que Michele também demonstra se sentir útil ao colaborar com o aprendizado de residentes, com a entrevista em nossos seminários e com a referência que ela se torna para a sua equipe de saúde. Michele aprende não apenas a receber o cuidado, mas também ensina a cuidar.

Michele exemplifica bem algo que percebemos, em diversos níveis, em muitos dos pacientes entrevistados em nossos seminários. Eles se sentem úteis de novo, e extremamente gratos por ter a oportunidade de produzir um legado, compartilhando sua experiência conosco. Acreditam que isso poderá beneficiar outros pacientes, no futuro, e assim deixam a sua marca indelével — não nos livros de história, mas no coração de todos quantos puderam ouvi-los.

12.
Tarefas inacabadas

> *[...] Se me fosse dado um dia, outra oportunidade, eu nem olhava o relógio. Seguiria sempre em frente e iria jogando pelo caminho a casca dourada e inútil das horas... [...]*
> Mário Quintana, "O tempo"

Diante da morte, diversas tarefas inacabadas podem emergir do solo da nossa alma, exigindo resolução urgente. O caso a seguir ilustra como a resolução de tarefas inacabadas é fundamental para que se possa construir um senso de paz e conexão com a vida, ainda que em face de graves situações de saúde.

D. Zélia, uma senhora de 98 anos, acamada, já estava francamente lidando com o seu processo de morrer. Ela era mãe de duas filhas: Ana, que faleceu de câncer quando tinha 53 anos, e Beatriz, que morava com a mãe e cuidava dela havia 55 anos. Quem nos solicitou a visita foi um dos três filhos de Ana, um dos únicos netos de D. Zélia. Ele descreveu o que para ele era o processo de morte da avó. Preocupava-se em preparar a tia para a morte dela e, ao mesmo tempo, preparar a avó para morrer em paz, sem se preocupar com os que teriam que conviver com a sua ausência.

A chegada de alguém que pudesse intervir naquele momento estava sendo aguardada com ansiedade por Beatriz, pois ela se preocupava muito com o sofrimento que a mãe poderia estar sentindo só de pensar em deixá-la sozinha, depois de sua morte. No entanto, apesar de tantas preocupações mútuas, havia um clima de silenciamento, que não estava ajudando a ambas a viver em paz.

No dia da visita, o neto foi para o quarto onde se encontrava a avó, e lá ele permaneceu. O primeiro atendimento foi apenas com Beatriz, que demonstrava claros sinais de nervosismo. Parecia se sentir acuada, e foi logo discorrendo sobre todos os cuidados de higiene, alimentação, medicação que ela dispensava à sua mãe. Nítida era a sua grande responsabilidade, mas também a sua aderência psíquica ao papel de cuidadora, que se revelava em seu imenso cansaço.

Beatriz descreveu sua preocupação com a mãe, já que, segundo ela, ambas sempre foram muito companheiras uma da outra, e o fato de a mãe ter que morrer sozinha deveria ser apavorante para ela. Não era a solidão interpessoal que apavorava essa filha, porque D. Zélia estava sempre cercada de amor e cuidados, mas o fato de que só se morre sozinho, ainda que se esteja acompanhado até o último suspiro. Ela dizia que tinha muita vontade de falar com a mãe sobre isso, mas não tinha coragem, porque a velha senhora ia estranhar o assunto e acreditar que a filha estava desejando a sua partida. Ela queria saber se poderíamos realizar essa conversa com a mãe. Combinamos que primeiro conversaríamos com D. Zélia na presença de Beatriz, e depois faríamos o papel de testemunha silenciosa da conversa entre ambas.

Quando entramos no quarto de D. Zélia, seu neto estava sentado no chão, perto da cabeceira, com a cabeça deitada na cama e segurando as mãos magras da avó. Ele nos contou que ela, naquele momento, estava dizendo ao neto que precisava enviar um recado à irmã dele.

D. Zélia aparentava seus 98 anos. Cabelo ralo e branquinho, estava deitada na cama, seu corpo era pele e osso; ela já não tinha forças para se virar sozinha e, mantendo-se numa posição fetal, concentrou forças para que cada palavra sua fosse audível. E as-

sim, pausadamente, ela foi relatando, com lucidez suficiente, seu desejo de finalizar algumas tarefas inacabadas. Indicou que a principal tarefa inacabada dela, que abordou sem rodeios, era um pedido de reconciliação, que desejava dirigir à sua neta.

Diante do pedido, o neto perguntou à avó se podia gravar um vídeo pedindo à neta que fosse ao seu encontro. E, com sua permissão, sacou o celular e gravou aquela senhora de pele enrugada fazendo uma importante confissão. D. Zélia pediu perdão à neta porque tinha agido errado ao se afastar dela por preconceito, pelo fato de seu marido ser negro. Isso fez que as duas ficassem sem se falar nos últimos oito anos, e a velha senhora também lamentava demais não ter feito questão de conhecer seu bisneto, então com 7 anos. Ao terminar o vídeo, o neto perguntou se queria enviar algum recado para mais alguém, e assim aquela senhora tão emagrecida gravou mais três vídeos para ser enviados. Ao final dessa experiência tão intensa de reconciliação, perguntamos como ela se sentia. E ela disse que estava feliz, pois queria fazer isso havia tempos, e só agora havia conseguido.

Aproveitamos o momento e perguntamos à D. Zélia se havia algo que ela queria dizer a Beatriz, que estava ali em pé, perto dela. Beatriz tomou um susto com a pergunta, e sua mãe logo respondeu que sim. Disse que já havia tentado muitas e muitas vezes conversar com a filha sobre sua partida, mas Beatriz sempre fugia. Nesse momento, Beatriz saiu apressada do quarto e correu para outro cômodo. D. Zélia balançou a cabeça e disse: "Tá vendo como ela corre?" Como estávamos num clima no qual não era necessário medir as palavras, perguntamos diretamente o que, na visão daquela senhora tão idosa, impedia a filha de escutar o que ela tinha a dizer. E, como a paciente já havia dirigido grande energia para resolver suas tarefas inacabadas, encontrou facilmente condições para dizer: "Ela não consegue me ouvir porque não consegue falar da minha partida". Isso preocupava nossa paciente, pois em sua perspectiva *ela em breve morreria de fato, e queria ter certeza de que sua filha ficaria em paz.*

Beatriz estava na sala visivelmente angustiada e chorosa. Acreditava que a mãe estava sofrendo por pensar que ela desejava sua partida. Ela queria muito que a mãe entendesse que não desejava a sua morte, mas que a aceitaria quando chegasse a hora. Ensinamos a Beatriz que não havia nada de errado em dizer isso a D. Zélia, e que sua mãe inclusive desejava essa conversa. E assim, ainda desconfiada, Beatriz respirou fundo e foi até a mãe. Sentou-se na beirada da cama, pegou sua mão e, acariciando seu rosto, disse-lhe que ficaria bem quando ela partisse, que com certeza sentiria sua falta, mas que ela tivesse a certeza de que viveria em paz, tendo a convicção de que havia sido uma filha que fez tudo que podia pela mãe. Assim, emocionada, D. Zélia agradeceu à filha e disse que também iria em paz sabendo que ela ficaria bem. As duas ficaram abraçadas um longo tempo, um tempo todo especial de ternura e amor.

Dois meses depois dessa visita, soubemos que a neta de D. Zélia havia feito as pazes com ela e ido inclusive visitá-la, levando o marido e o bisneto. Beatriz já não tinha mais medo de conversar com a mãe sobre a morte dela, e estavam sempre falando sobre essa partida. Os outros vídeos gravados também responderam ao chamado de D Zélia. O neto nos contou que parecia que, com tudo isso, a avó havia se reconectado à vida e estava mais disposta e participativa, querendo a partir de então chegar aos 99 anos.

O caso de D. Zélia demonstra que levamos tempo para fazer contato com uma energia interna necessária à resolução de certas pendências. No entanto, é impossível precisar quais são as condições para acessarmos essa energia. Isso pode se dar em qualquer fase da vida ou nunca chegar a acontecer. Embora saibamos que resolver tarefas inacabadas é necessário para que experimentemos uma verdadeira paz diante da nossa morte, isso não quer dizer que todos terão condições favoráveis para enfrentar esse difícil processo. Nem sempre há amor na intimidade das famílias, e por vezes os ressentimentos e as mágoas permanecem enrijecidos por mais tempo do que deveriam, pois a demora em resolvê-los faz que nos habituemos à sua presença. É por essas e outras razões que é tão difícil, no processo do morrer, encontrar espaço para resolver essas tarefas inacabadas.

Precisaremos lidar com o fato de que certos assuntos inconclusos nunca serão resolvidos, pois a estrutura e a energia necessárias para isso podem nos faltar. E, caso isso aconteça, teremos de aceitar nossa condição com igual amor, respeitando cuidadosamente nossos limites. Seria muito fácil nos perder em julgamentos e culpas a fim de evitar entrar em contato com nossa verdadeira essência, e nos distrair mais uma vez do que de fato importa para cada um de nós. É como se ficássemos presos em um único ponto e esquecêssemos de olhar o todo, o conjunto dos ganhos da nossa vida, as alegrias decorrentes dos relacionamentos que tivemos e as belezas que experimentamos na jornada. Nenhum ser humano é tão abjeto que não tenha algo positivo para se agarrar ao fim da vida; não há algo tão negativo que não possa se tornar um grande aprendizado.

Quando a pessoa tem estrutura para acessar sua energia interna, ela consegue ultrapassar o que eram seus limites até então; a partir daí, ela se apropria de um novo sentido para a existência, independentemente de quanto tempo de vida tenha. É assim que encontra forças para encarar e resolver pendências, pedir perdão por incidentes do passado, perdoar mágoas pretéritas, chamar pessoas há muito tempo afastadas, ajudar a organizar a vida de quem sobreviverá à morte, reconhecer as próprias falhas, fazer as pazes com as culpas — e muitos outros tipos de ressignificação possíveis.

Quando se trabalha com pessoas diante da morte, a principal tarefa a ser realizada não é o apoio emocional, as técnicas contemplativas ou o apoio social, mas o alívio das necessidades físicas do paciente. Diversas formas de sofrimento físico podem precisar de alívio, como dor, náusea, vômito, obstipação, diarreia e fadiga. Um paciente que está subindo pelas paredes de dor não pode escutar um assistente espiritual — muito menos acessar e trabalhar as tarefas inacabadas. Primeiro, trabalhe com as necessidades físicas; só então haverá espaço para lidar com as necessidades emocionais do paciente — as tarefas inacabadas.

Elisabeth considerava que certos tipos de medo tinham razão de ser e eram muito naturais: o medo de ser assassinado, por exemplo, permite-nos fugir e sobreviver quando estamos em perigo e a nossa existência se acha ameaçada. Todos os demais medos, que são distorções decorrentes de um medo natural, representam tarefas inacabadas, porque teremos de resolvê-las, mais cedo ou mais tarde, para viver em paz. O medo da rejeição por abandono, por exemplo, pode nos levar a evitar o amor, mas esse medo cobra um preço alto, que nem sempre valerá a pena viver. Dessa forma, há medos que são naturais e nos protegem, mas há camadas de medo artificiais que criamos e que, não raro, são fonte de grandes infelicidades, que exigirão resolução no futuro. Assim também acontece com a tristeza crônica, a raiva, a dor que evitamos e todas as situações que em algum momento preferimos não ver, mas que se escondem em algum recanto da nossa alma. Resolvê-las enquanto é tempo é trabalhar por uma vida mais plena, não mais baseada no medo ou na culpa, mas no amor.

13.
Amor incondicional

> *A maior lição que todos nós devemos aprender é o amor incondicional, que inclui não só os outros, mas também nós mesmos.*
> Elisabeth Kübler-Ross, A roda da vida

O amor incondicional é um difícil exercício, não só nos melhores momentos da vida como nos piores. Nosso próximo professor veio partilhar conosco um dos aprendizados mais difíceis que nós, como seres humanos, precisamos fazer: aprender a amar incondicionalmente, ainda que sem a presença física daqueles que amamos.

Quando nos entregamos ao sentimento de culpa, de vitimização, de incapacidade, de indignidade, dificultamos a criação de um vínculo contínuo com o amor. É como se o amor se perdesse, em vez de continuar existindo de outra maneira. Aqueles que tiverem condições de ventilar seus medos, suas dores, suas culpas, mágoas e angústias poderão perdoar a vida e a si mesmos. Lentamente, redescobrirão a conexão com o amor de outras maneiras, o que os levará a viver de forma mais plena.

Nosso próximo professor é um exemplo de que o amor é um instrumento de cura e, se dermos uma oportunidade legítima a esse sentimento, poderemos encontrar novos caminhos para uma conexão renovada conosco e com aqueles que amamos.

Entrevistador — *Obrigado por ter aceitado o nosso convite para ser nosso professor. Para nós, é uma alegria muito grande.*
Alexandre — Obrigado pelo espaço. Para mim, é uma alegria muito grande estar aqui com vocês. Obrigado pelo espaço para contar um pouquinho da minha história, e eu estou bem feliz de estar participando.
Entrevistador — *Comece se apresentando como quiser, contando um pouco sobre você.*
Alexandre — Meu nome é Alexandre, sou professor de História já há bastante tempo, sou casado com a Angélica e pai da Clara, minha borboletinha, que é como eu sempre a chamei. Ela é minha filha, que viveu por seis dias, e hoje está com a gente de outra forma. Acho que a melhor forma de me apresentar é falando isso.
Entrevistador — *E sua filha viveu por seis dias?*
Alexandre — *Sim, seis dias.*
Entrevistador — *Conte-nos um pouco como foi isso.*
Alexandre — Bom, em 2017, eu e minha esposa engravidamos. A gente descobriu por volta de março, abril, enfim, e a gravidez correu muito bem... Sem absolutamente nenhum problema, nenhuma intercorrência...
Entrevistador — *Vamos voltar só um pouco na história?*
Alexandre — *Uhum.*
Entrevistador — *Como foi para você descobrir a gravidez?*
Alexandre — Ah... Até aquele momento, acho que foi... Foi o momento mais feliz da minha vida... E é até engraçado, porque eu descobri antes da minha esposa (risos).
Entrevistador — *Como é que foi isso?*
Alexandre — Porque a gente estava desconfiado, e estava pensando muito em gravidez, e a gente falou: "Bom, vamos deixar rolar para ver o que acontece". E ela começou a desconfiar, porque enfim o corpo é dela, e começou a sentir algumas mu-

danças. Acho que ela estava um pouco em negação, dizendo: "Não é possível que eu esteja grávida, não é possível".

Entrevistador — *Ela foi percebendo mudanças no próprio corpo?*

Alexandre — *Sim. E eu já muito ansioso, porque enquanto ela falava que não era possível, eu dizia: "É possível, é claro que é possível". Ela fez o teste de farmácia, deu positivo, mas ela, não acreditando ainda, fez um teste laboratorial. E aí demora um dia, 24 horas, para saber o resultado, e eu fiquei o dia inteiro apertando aquela tecla de atualizar o computador para saber quando o resultado ia sair. A consequência disso foi que eu soube antes dela, então quem comunicou para ela que ela estava grávida fui eu.*

Entrevistador — *Você ficou apertando o botão do computador? Quando você estava apertando o botão, você estava apertando o quê?*

Alexandre — *Ah, eu estava apertando a ansiedade, a vontade de ser pai, por mais que hoje eu tenha uma compreensão completamente diferente do que é a paternidade, do que é ser pai, mas naquele momento era isso: a vontade, a ansiedade.*

Entrevistador — *E o que era ser pai naquele momento?*

Alexandre — *Ah, estava muito mais ligado à ideia de participação, de estar ao lado da minha esposa, porque era eu que estava com ela ali. Ser pai, naquele momento, era estar ao lado.*

Entrevistador — *E você queria estar ao lado...*

Alexandre — *Eu queria, e estive ao lado durante toda a gestação. Eu fui a absolutamente todas as consultas...*

Entrevistador — *Vamos só voltar um pouquinho. Houve um momento em que você viu o resultado, não foi?*

Alexandre — *Sim, eu vi.*

Entrevistador — *Quando você viu o resultado positivo, como foi para você?*
Alexandre — *Ah, sei lá... Foi uma sensação difícil de descrever, mas acho que o mais próximo é uma mistura de felicidade com ansiedade, com euforia, uma mistura de coisas. E a primeira coisa que eu fiz foi... Eu ainda tive sangue frio de apertar a tecla do computador, minha esposa estava na sala, vendo televisão, e isso para mim é até hoje estranho. Como ela podia estar tão calma e eu tão nervoso, né? E eu imprimi, tive o sangue frio de imprimir o resultado, pegar o resultado e ir até ela. E então eu já estava chorando...*
Entrevistador — *Ao imprimir aquele resultado, você estava imprimindo o quê?*
Alexandre — *Ah, eu acho que foi uma tentativa de materializar, de concretizar aquele momento, para que eu fosse até ela com algo concreto. E aí eu fui.*
Entrevistador — *Quando você se aproximou dela, o que você viu nela?*
Alexandre — *É engraçado, porque eu já vi uma mãe. Eu já vi. Eu não consegui falar nada, dizer nada. Eu fui até ela chorando muito, chorando. Minha cunhada estava no dia.*
Entrevistador — *Ela estava onde?*
Alexandre — *Ela estava junto com a minha esposa, vendo televisão, e não entendeu nada. Achou que algo ruim tivesse acontecido, porque ela me viu chorando com um pedaço de papel.*
Entrevistador — *Mas a sua esposa entendeu?*
Alexandre — *Entendeu na hora, e começou a chorar também. A gente já se abraçou, e eu me abracei na barriga.*
Entrevistador — *Então, esse momento fez de você pai, e dela, mãe.*
Alexandre — *Sim, sim. De alguma forma, sim. Foi o primeiro momento em que eu entendi alguma coisa do que era a paterni-*

dade. Nós dois ficamos ali durante algum tempo chorando, minha cunhada sem entender nada. Eu só consegui esticar o papel para ela, e ela também entendeu, e aí foi uma choradeira enorme. E, daí pra frente, aos poucos, fomos contando para as pessoas. Elas ficaram muito felizes de ver a gente naquele momento, e foi essa trajetória, ao longo de meses, aos poucos contando para as pessoas e aos poucos descobrindo muita coisa.

Entrevistador — *E o que você descobriu?*

Alexandre — Descobri como é esse universo, porque a gente vê muita coisa, vê filme, lê muita coisa, mas é difícil você ter uma dimensão real do que é isso, porque emocionalmente é inexplicável. Cada momento que você vai passando é algo novo, que a gente vai aprendendo a entender, a descobrir... Por exemplo, a primeira ultrassonografia, na minha visão, superou o momento de descoberta da gestação.

Entrevistador — *E como foi a primeira ultrassonografia? Você lembra se foi de manhã, de tarde ou de noite?*

Alexandre — Lembro. Foi de manhã.

Entrevistador — *Quando você saiu de casa para fazer a ultrassonografia, você estava indo aonde?*

Alexandre — Eu acho que tinha um senso de aventura, um senso de trajetória, de algo que estava acontecendo. De certa forma, a gente estava começando ali uma trajetória, e eu acho que tinha essa coisa meio de marco, sabe? Para mim, tinha mais essa sensação de um marco do que quando a gente descobriu no começo da gestação. Porque ali era a primeira vez que eu ia, de alguma forma, ter contato com a minha filha. Foi um marco inicial do que foi a construção dessa paternidade.

Entrevistador — *Se você pudesse dar um nome a esse marco, qual você daria?*

Alexandre — Coração. Seria esse o nome, porque foi a primeira vez que eu escutei o coração dela. E é uma sensação, para mim, *até hoje... Foi o momento mais feliz da minha vida. Foi a primeira vez. Se você me pedir para explicar, eu nem vou conseguir, porque é uma sensação indescritível. A sensação de escutar o coração da sua filha, ou do seu filho, pela primeira vez, não dá para racionalizar. Você vai com certa preocupação se o bebê está vivo, se não está, se está bem... Acho que em todas as ultrassonografias isso foi diminuindo. Mas essa preocupação sempre existia. Mas nessa primeira, acho que foi uma preocupação muito forte, e aí quando a mulher coloca o negócio e você ouve aquele barulho, que parece uma bateria de escola de samba, de tão forte que é... E é interessante que, quando eu me recordo, sei que o volume não era alto. A sensação que dava era que aquilo ressoava no corpo todo, sabe? E foi muito forte... Soma-se isso a toda ansiedade que você tinha se estava vivo, se não estava, se estava bem. E você vai descobrindo uma coisa que não sabia que era assim. E eu particularmente me derrubei ali, comecei a chorar, e a médica viu a mobilização que estava entre mim e a minha esposa, não tinha mais ninguém. A médica também se mobilizou...*

Entrevistador — *O que você viu na médica?*

Alexandre — *Ah, naquele momento eu me lembro de ter pensado muito numa questão humana, de humanidade. Foi tudo seguindo bem...*

Entrevistador — *Então, as coisas seguiram muito bem por toda a gestação?*

Alexandre — *Sim, seguiram bem.*

Entrevistador — *Quando é que elas começaram a não ir tão bem?*

Alexandre — *Bom, é... Meu depoimento vai estar influenciado por toda a trajetória que eu vivi até aqui, mas hoje posso dizer que, olhando para trás, já tinha alguma coisa dizendo que as coisas não estavam legais. Era um não sei o quê... Por exemplo, quando a Angélica começou a ter a contração, a gente tinha* optado por parto natural, e a gente estava num shopping. Então ela ligou para a médica dela, que disse: "Está tudo bem, fiquem tranquilos, vai dar tempo de passar em casa para tomar banho e pegar as coisas de vocês. Não precisam vir correndo para o hospital". E assim foi, fomos para casa, tomamos banho, tudo tranquilo e hoje olhando para trás eu vejo que naquele momento a casa estava escura, toda escura. Acho que muito porque a Angélica estava sensível à luz, então o quarto estava escuro, a casa estava escura. E me bateu um estranhamento que na hora eu não consegui traduzir. E hoje, quando olho, consigo identificar esse estranhamento.

Entrevistador — *O que você viu nessa casa escura? Era falta de que luz?*

Alexandre — *É estranho explicar, difícil, mas era uma sensação de que algo não estava no seu devido lugar.*

Entrevistador — *E então o que houve?*

Alexandre — *O que houve foi o pior dia da nossa vida. Tudo acabou, porque nossa filha já nasceu azul e muita molinha. Eu fui o primeiro a perceber isso, antes da minha esposa, e quando a tiraram foi muito difícil, sabe? Eu só pensava em ficar perto da minha esposa, e aí foi a primeira vez que tive que escolher: fico com a minha filha ou com a minha esposa?*

Entrevistador — *Uma escolha e tanto, não? O que você escolheu?*

Alexandre — *Minha filha estava sendo cuidada pelos médicos, mas a minha esposa ainda estava toda aberta, porque a nossa filha nasceu de cesárea. O que aconteceu foi que o tempo passava, o tempo passava e ela não nascia. Então, tiveram que abrir a minha esposa para que a minha filha nascesse, e naquela hora a minha esposa estava toda aberta. Foi a primeira vez que vi tanto sangue na minha vida. Mas eu só pensava na minha esposa, se ela ia ficar bem. Até que uma pessoa notou que eu estava*

preocupado, e disse que eu podia ir cuidar da minha filha, porque eles iam fechar a minha esposa. Então, eu fui lá.
Entrevistador — *Foi lá onde?*
Alexandre — *Fui lá ser pai, fui cuidar da minha filha, e aí dirigi toda a atenção para ela. Foi a primeira vez que eu fiquei divido entre a quem dar a minha atenção: minha esposa ou minha filha? Antes do nascimento, quando eu me preocupava com uma delas, eu na verdade me preocupava com as duas, mas naquele momento eu tive que aprender a me dividir. Tudo muito novo para mim, ainda mais naquele turbilhão de coisas acontecendo ao mesmo tempo. Eu tive que sair para ver a minha filha, e todo mundo da família estava do lado de fora, bastante preocupado. Eles perguntaram da minha esposa, queriam saber como ela estava, e eu pedi para um familiar ir ficar com ela, para que ela não ficasse sozinha.*
Entrevistador — *Perguntaram sobre a sua esposa, não?*
Alexandre — *Sim, perguntaram sobre ela. Sabe que sempre perguntaram sobre ela e quase nunca sobre mim? Isso acontece muito, o homem quase nunca é visto. E eu também não me via, não me enxergava, não me notava. A gente aprende que ser homem casado é cuidar da esposa, e agora também da filha. É como eu estava, bem no automático.*
Entrevistador — *E o que aconteceu com a sua filha?*
Alexandre — *Ela foi para a UTI, estava muito grave a situação dela, mas ela ficou ainda seis dias com a gente. Eu ficava me dividindo entre a minha esposa e ela, mas teve altos e baixos na situação com a minha filha. Explicaram que a situação dela era bastante delicada. Ela ficou um longo tempo sem respirar dentro da minha esposa, e a gente teve que lidar com muitas coisas novas ao mesmo tempo.*
Entrevistador — *Parece-me que foram de fato muitas mudanças simultaneamente.*

Alexandre — *Sim, e eu queria cuidar da minha esposa e da minha filha, mas não estava me dando conta de que eu não estava cuidando de mim. Foi a minha esposa que percebeu que todos nós perguntávamos dela, mas ninguém perguntava de mim. Ela notou que eu estava invisível antes que eu notasse. Tomei um susto quando de fato me dei conta disso.*

Entrevistador — **Você tomou um susto quando se deu conta de que estava vivendo uma dor invisível, foi isso? Como foi?**

Alexandre — *Sim, invisível até para mim. Percebi que eu estava tão preocupado com minha esposa e com minha filha que nem me dei conta de olhar para mim. Como eu, que já era pai, também passando pela perda da minha filha, estava me sentindo? Nem eu, nem ninguém, se lembrou de mim. Só a minha esposa me chamou a atenção. Aí, eu despertei.*

Entrevistador — **Você despertou para o quê?**

Alexandre — *Despertei para o que eu estava sentindo, para um cuidado que eu deveria ter comigo também. Descobri que as pessoas esquecem do homem nesse momento. É tão automático que nós mesmos nos esquecemos do pai e dedicamos todo o cuidado e a atenção para esposa e filha, ou filho. Não sobra atenção para a dor do pai, é meio velado, as pessoas falavam: "Você precisa ser forte por ela", "Como ela está passando?" Coisas que depois descobri que os homens numa situação dessa costumam escutar. A fonte de preocupação das pessoas que chegavam para nos visitar na maternidade era a minha esposa, ela que estava naquela situação, ela havia perdido uma filha. Claro que ninguém vai te visitar para te deixar mal, elas falam isso na melhor das intenções, mas isso não ameniza o fato de que quem passa por isso ouve e escuta de uma forma diferente do que a pessoa quis falar.*

Entrevistador — **Ouve e escuta de que forma?**

Alexandre — *A gente reforça essa posição de uma certa masculinidade, um jeito de ser homem que é construído socialmente. Um jeito de ser homem para cuidar da esposa, dos filhos, e de fazer a própria dor e os próprios sentimentos serem invisíveis.*
Entrevistador — *Entendo. E como foi depois disso?*
Alexandre — *Eu passei a cuidar de mim, a olhar para o meu luto, para as minhas necessidades, e descobri que não tem nada de errado nisso. Passei a redescobrir como ser pai para a minha filha, porque, embora ela não esteja aqui com a gente, ela estará para sempre aqui. Ela é a minha Clarinha, minha borboletinha, que sempre voará perto do meu coração. Inclusive, eu a coloquei aqui* [aponta para uma tatuagem de borboleta na altura do coração], *para que eu nunca me esqueça dela.*
Entrevistador — *É uma forma de mantê-la sempre por perto.*
Alexandre — *E há outras formas também. Eu passei a fazer que ela seja conhecida no mundo, e não deixo que não reconheçam a minha paternidade. Falar do meu luto, da minha filha, do meu amor por ela, da maneira como sou pai dela hoje, é a maneira de mantê-la viva e me conectar com o meu amor por ela. Ela está invisível, mas presente, e isso faz toda diferença.*
Entrevistador — **Nós agradecemos a sua presença aqui conosco, nesta noite.**
Alexandre — *Eu também agradeço.*

Alexandre começa nos ensinando que a sua paternidade foi se constituindo ao longo da gestação, e mostra que todas as coisas que ele fazia pelo bem da esposa e da filha o tornavam pai. Esse foi um aprendizado contínuo ao longo dos meses de gravidez. A experiência do parto foi desafiadora, porque ele dedica 50% da sua energia à esposa e os outros 50% à filha.

Antes do parto, Alexandre se preocupava apenas com a esposa, porque cuidar dela era cuidar da filha. O parto provocou uma separação. Agora fora do corpo de Angélica, Clara estava sendo levada para a UTI neonatal. Naquele momento, Alexandre se sentiu dividido, pois não sabia se seguia a filha ou ficava com a esposa. Ele se deu conta, muito cedo, de que só conseguiria enfrentar essa jornada com outras pessoas ao seu lado, dividindo os cuidados com a filha e a esposa com a sua família mais ampla.

Quando sua filha morreu, ele se sentiu desnorteado e destruído, sem o sentido da paternidade, como se tivessem retirado seu direito de ser pai. Isso se apresentava no dia a dia com uma completa invisibilidade da sua experiência da perda de uma filha. Se era difícil para as pessoas lidar com o luto de Angélica, o luto de Alexandre jazia invisível e incompreendido.

Esse cenário só mudou quando sua esposa pediu para que as pessoas olhassem e atendessem às necessidades dele também. A partir daí, Alexandre se deu conta de que ninguém perguntava como ele estava — nem ele mesmo. As atenções eram todas voltadas para Angélica, inclusive a atenção dele próprio. Nesse momento, percebeu que aquilo acontecia, de forma geral, com todos os homens que vivem situações semelhantes. Assim, passou a supor que as questões de gênero podem influenciar a experiência do autocuidado, e aprendeu a lidar consigo mesmo de maneira muito mais cuidadosa.

Alexandre aprendeu uma grande lição com toda essa experiência, que muitos demoram a vida inteira para aprender e alguns não aprendem nunca. Provocado pela falta de reconhecimento da sua paternidade, o próprio Alexandre revisitou cada momento em que foi pai da Clara, desde o momento da notícia da gravidez. Cada uma de suas ações, tão cheias de significado e amor, remetiam a esse sentido maior, a essa construção de uma nova identidade: tornar-se pai. Assim, ele se apropriou da posição paterna com profundidade, criando uma nova forma de conexão com a filha — por meio de um amor até então desconhecido por ele, capaz de ultrapassar todas as barreiras e ser sentido na verdade do coração e da alma: o amor incondicional.

O amor incondicional está relacionado com nossa capacidade de respeitar, exatamente como são, as pessoas ou situações que se nos apresentam — mesmo que não as compreendamos. O amor incondicional tem a capacidade de nos conectar com o que faz sentido para cada um de nós, e sua abrangência dispensa inclusive a necessidade da presença física. O amor encontra um novo caminho de conexão com o outro, uma conexão duradoura que se fortalece numa certeza inabalável.

Somos ensinados a pensar que "Seremos amados se tirarmos boas notas", "Seremos amados se nos comportamos bem", "Seremos amados se conseguirmos um bom emprego". Assim, aprendemos a condicionar o amor ao atendimento de certas expectativas. Isso pode nos levar a acreditar que só merecemos ser amados se atendemos certas condições impostas pelas necessidades dos outros, o que é um desastre quando a morte surge no horizonte. A morte é implacável e ceifa vidas sem nenhuma lógica, sem escolher bons ou maus, sem explicações, sem regras, e muitas vezes é caracterizada por uma grande imprevisibilidade.

Nesse sentido, a própria natureza da morte parece nos convidar a desenvolver um amor sem condições. A morte tem o poder de acabar com uma vida, mas não pode acabar com o amor que sentimos por essa mesma vida. Esse amor pode aprender a se transformar, ainda sendo amor, mas agora de outra maneira: tornando-se amor.

Por outro lado, a experiência com a morte por vezes nos leva a experimentar grandes dores, culpas e ressentimentos, fazendo que nos sintamos traídos, culpados, punidos por Deus, por uma força espiritual qualquer ou pelos reveses do destino. Nesse caso, sentimos que o amor é interrompido, como um fio de energia que é cortado de súbito. E isso naturalmente impede que haja um vínculo contínuo de amor com a pessoa que se foi, o que torna o sofrimento ainda mais atroz.

Mesmo em situações de grande sofrimento, se mantivermos o coração aberto, conseguiremos perceber o profundo sentido dos acontecimentos. E, independentemente dos momentos de tempestade que acontecem na vida de todos, poderemos manter viva a crença de que sempre haverá um novo nascer do sol. Assim, olharemos para todos os acontecimentos da vida, por mais dolorosos e tristes que sejam, como oportunidades de aprender a dar e a receber amor, incondicionalmente.

14.
Reações aos Seminários sobre a Morte e o Morrer

REAÇÕES DOS ALUNOS

A expectativa dos alunos era que esse fosse mais um curso teórico sobre como cuidar de pacientes e familiares diante da morte. Com o crescente interesse pela área dos cuidados paliativos em nosso país, de fato tem havido uma exponencial procura por cursos na área, e foi esse o motivo que levou muitos a se inscreverem para assistir nossos seminários. Apesar de já termos avisado, nas inscrições, que haveria pacientes reais que seriam entrevistados, nenhum deles fazia ideia do que isso significava. Para nós, que estávamos conduzindo a experiência pedagógica, também as expectativas foram ultrapassadas: não imaginávamos como os relatos de pacientes que estavam morrendo ou de seus familiares enlutados impactariam a vida dos alunos.

    Havia um grande espanto permanente: no começo, com a proposta educacional; depois, por perceber que muitos dos pacientes ao fim da vida aparentavam estar "tão bem", o que denuncia a nossa desesperança ao olhar para eles; outro espanto decorria do fato de que o entrevistador tinha coragem de mencionar assuntos delicados e não evitava falar sobre a morte e o morrer. E mais: os pacientes também se sentiam aliviados por poder falar sobre a morte, seus medos, fantasias e experiências.

Aos poucos, os alunos foram percebendo que tanto espanto dizia mais sobre suas defesas diante da morte do que propriamente sobre os pacientes, que, na maioria das vezes, ansiavam por ser escutados.

O espanto inicial foi cedendo espaço a uma naturalidade, antes desconhecida e que agora vira uma referência cada vez mais aperfeiçoada de que é possível dialogar com os pacientes sobre o que eles quiserem falar, inclusive (se esse for um desejo deles) sobre a sua morte. Num dos debates após uma de nossas entrevistas, uma aluna, que é médica num serviço especializado de cuidados paliativos, confessou que estava num atendimento e, durante um diálogo com o paciente, em algum momento, surpreendeu-se querendo fazer uma pergunta a mais. Ela hesitou por alguns instantes, na dúvida se seria bom ou não para o paciente, e se atreveu a fazer a pergunta. E o que aconteceu, segundo ela, foi que o mundo se abriu. O paciente se sentiu mais à vontade para contar coisas muito íntimas, que foram importantes para a condução do seu tratamento. Nossa aluna se sentiu cada vez mais segura para conversar de forma mais profunda com os pacientes, buscando descobrir do que eles próprios precisavam, e não o que ela achava que eles necessitavam.

Quando entrevistávamos pacientes ou familiares que estavam perdendo ou haviam perdido filhos, as alunas experimentavam uma grande reação emocional, e muitas não conseguiam deixar de se imaginar naquele lugar de dor lancinante. Ouviam com incredulidade a narrativa dos professores de como eles conseguiram ressignificar tamanho sofrimento. Muitas vezes, choravam durante as entrevistas, e esse choro falava da sua dificuldade de conseguir deixar de sentir a dor do outro como se fosse a sua, sem nem ter ideia do que é passar por isso. Aos poucos, foram aprendendo a importância de respeitar esse lugar do outro, que sente a sua dor de uma forma singular e única. Aprendiam que podiam chorar com os pacientes, mas que há diferentes tipos de choro e que precisavam estar atentas para não chorar uma dor que não era delas, porque isso seria desrespeitar o momento de evolução do outro. Elas aprenderam que podem deixar lágrimas compassivas caírem, desde que se mantenham na posição de cuidadoras e não invertam os papéis.

Alguns alunos apresentaram verdadeiras reações físicas, como dor de cabeça, ânsia de vômito, palpitação cardíaca, mãos trêmulas, falta de ar, boca seca, entre outros sinais. Perceberam que isso desvelava reações que sempre estiveram ali e interferiam silenciosamente em seu trabalho cotidiano com os pacientes. Essas emoções silenciosas faziam que eles tomassem certas atitudes clínicas com determinados pacientes, e deixassem de tomar certas atitudes com outros. Dessa maneira, foi um ganho imenso para os alunos o fato de entrarem em contato com as próprias emoções vividas na lida com os pacientes e analisá-las, elaborá-las e se dar conta de que elas sempre estiveram e estarão ali.

A aula que foi dada por um ex-maqueiro muito especial na lida com pacientes moribundos foi uma referência importantíssima de como olhamos o paciente que chega até nós. Nesse momento, os alunos perceberam que habitualmente não viam a vida no olhar dos pacientes, e sim a morte. A aprendizagem mais impactante dessa aula foi sobre aquilo que um simples olhar pode revelar sobre quem o profissional de saúde se torna diante do seu paciente. Muitos alunos aprenderam que podiam olhar de maneira diferente não apenas para os pacientes, mas para a vida.

Com o passar das entrevistas, os alunos foram se mostrando mais seguros quando falavam de suas intervenções no dia a dia profissional. Sentiam-se profundamente transformados com aquela experiência. Uma das alunas, que lidava com a morte diariamente, notou que estava na defensiva, travada mesmo, sem conseguir acessar os pacientes. Aos poucos, ela conseguiu ventilar medos, preocupações, lutos, situações inacabadas e se apropriar de sua segurança para conversar com os pacientes sobre qualquer questão que eles necessitassem. Dessa forma, experimentou uma troca renovadora, já que, mesmo diante de tantas mortes, ela não se sentia mais tão exaurida, mas sim profundamente agradecida. Isso aconteceu, em vários níveis, com diversos alunos.

Também houve aqueles que não conseguiram voltar depois do terceiro encontro. Em geral, justificavam com problemas na agenda, falta de tempo, surgimentos de outros compromissos — ou nem sequer davam justificativas. Isso também fala da dificuldade que muitos de nós ainda enfrentamos quando o assunto é a confrontação clara e sem rodeios com o tema da morte e do morrer. Não podemos deixar de frisar a importância do acolhimento e do respeito aos alunos que desistem dessa experiência, reconhecendo que talvez eles precisem de fato manter certas defesas diante da morte.

Percebemos que certos alunos não desejam falar sobre a morte diretamente, ou não gostam de entrar em certos detalhes de sua vida privada durante os debates. Nunca devemos forçá-los a fazer isso, ainda que seja para uma finalidade didática. A cada um é ensinado a reconhecer e respeitar os próprios limites, e isso também é um ganho precioso dessa experiência.

Percebemos ainda que é fundamental que, enquanto o entrevistador está completamente dedicado ao entrevistado, outra pessoa esteja atenta aos alunos. Afinal, os mais diversos imprevistos e reações emocionais podem surgir, e seria uma imensa negligência se não tivéssemos recursos e pessoal treinado para estar atento a esses alunos. De certa forma, é nossa responsabilidade conduzir a experiência pedagógica, e por isso devemos zelar pelo seu sucesso. Sabemos que algumas pessoas têm interesse em reproduzir esse método educacional, e desejamos que elas pensem com muito cuidado em todos os detalhes antes de se dedicar a essa experiência.

Técnicas de entrevista, recursos metodológicos cuidadosos, um acordo prévio com os pacientes para manter o sigilo e acertar os detalhes e um aviso claro de que se trata apenas de uma experiência pedagógica são elementos essenciais para o êxito dessa empreitada, e seria desencorajador se as pessoas começassem a utilizar o método sem o devido preparo. Bem se vê que o êxito desse trabalho não consiste apenas em unir pacientes e alunos, mas de saber conduzir esse encontro com ética, respeito, preparo técnico e amorosidade.

REAÇÕES DOS PACIENTES

Após quase uma centena de pacientes entrevistados, uma coisa podemos dizer: foi unânime o relato de como essa experiência os modificou, levando-os a experimentar um grande sentimento de utilidade. Todos eles fizeram questão de nos procurar depois das entrevistas, pois queriam compartilhar as novas sensações que experimentavam e as mudanças que passaram a perceber em si mesmos.

Durante as entrevistas, os pacientes puderam se dar conta de como o diagnóstico de uma doença potencialmente fatal mudara a vida deles. Aos poucos, descreviam as mudanças que percebiam não apenas ao seu redor, mas também em si mesmos. Ao narrar suas histórias, atravessavam um processo de elaboração, revisitando momentos difíceis, percebendo seus novos valores e se apropriando de quem eles se tornaram no curso do adoecimento. Reconheceram-se dignos de novo, com um sentimento de propósito e de grande valor, e foram reconhecidos pela sua experiência. Nem sempre isso foi fácil durante a entrevista; eles nos descreviam momentos dolorosos e íntimos, mas julgavam importante que estes fossem partilhados com outros seres humanos.

Quando os pacientes começavam a falar, era difícil interrompê-los. Eles acessavam sentimentos profundos, que sempre estiveram ali, mas que agora tinham espaço para ser ouvidos. Submetidos a atitudes de grande evitação e fobia, os pacientes também sofriam com o tabu e o silenciamento coletivo em torno da morte e do morrer. Por isso, sentiam grande alívio ao perceber que a sua *expertise* tinha verdadeiro valor.

Compreendendo melhor o propósito da sua trajetória, saíam da entrevista com um sentimento de paz, de completude, com a sensação de que a vida ainda tinha sentido e de que deixavam em nosso meio um importante legado, já que tanto sofrimento não seria em vão.

Uma das professoras morreu pouco tempo depois de compartilhar sua experiência conosco, mas antes disso dizia a todos a seu redor que tivera a oportunidade de ensinar a profissionais de saúde sobre o cuidado de pacientes gravemente enfermos. A gratidão por poder compartilhar suas experiências, novos valores e momentos difíceis de ser lembrados levou nossos professores a se apropriar de um novo modo de ser, agora tendo certeza da sua capacidade de se abrir para a vida, a claridade e o amor — ainda que diante da possibilidade ou da realidade de uma morte próxima.

15.
Como cuidar de pessoas diante da morte: uma síntese pelo olhar do paciente e de sua família

> *O sofrimento é intolerável quando ninguém cuida dele.*
> Cicely Saunders, *Velai comigo*

Como vimos nos capítulos anteriores, está claro que o paciente diante da morte e sua família terão necessidades muito especiais a ser atendidas — se tivermos tempo para nos sentar, ouvir e descobrir quais são. Isso implica a capacidade de suspender todas as nossas suposições do que seja melhor para essas pessoas, a fim de que possamos descobrir com elas o tratamento que faça mais sentido para elas, e não para nós. Somente agindo assim conseguiremos construir um espaço entre nós e os pacientes e suas famílias. Desse modo, precisamos reconhecer que o outro é um ser diferente de nós, que tem uma história e valores distintos dos nossos; portanto, é impossível que nos coloquemos no lugar dele. Se começássemos a tratar os pacientes como gostaríamos de ser tratados, talvez estivéssemos usando-os como um meio indireto para resolver nossas situações inacabadas, e isso seria o que de pior poderíamos fazer por eles.

Em decorrência disso, precisamos proceder a uma análise cuidadosa da nossa posição diante da morte e do morrer, e tornar esse exercício frequente, porque diante da morte somos todos aprendizes. Uma análise cuidadosa de quem nos tornamos diante de cada paciente é fundamental, porque partimos do princípio de que o profissional de saúde é a principal ferramenta para o cuidado.

Se o profissional tem o hábito de analisar a fundo sua situação diante da morte, resolver situações inacabadas, curar-se dos próprios conflitos e se dedicar a construir novos sentidos para a vida (para além da sua profissão), então ele poderá se dedicar ao cuidado com outra disponibilidade interna. Nesse caso, serão os seus pacientes os grandes beneficiados, porque ele conseguirá verdadeiramente escutá-los, sem contaminar a narrativa deles com os próprios valores e crenças.

Os sofrimentos que os pacientes enfrentam, no curso do seu adoecimento, precisam ser cuidados por uma equipe multiprofissional e interdisciplinar. Assim, é imprescindível que o cuidado seja dividido entre todos os membros da equipe — e que as diversas competências se somem em prol do alívio do sofrimento do paciente e da sua família.

Competências técnicas para o alívio de sintomas foram consideradas fundamentais pelos pacientes em relação aos profissionais que os atendem, mas todos foram unânimes em reconhecer que só se sentiram de fato cuidados e amados quando a equipe de saúde que os assistia considerava a sua *singularidade*. Quando o tratamento levava em conta suas diferenças, eles se sentiam de fato vistos em seu sofrimento e experimentavam um sentido de dignidade. Este é um ponto fundamental para o cuidado de pessoas diante da morte: quando consideramos suas singularidades existenciais, podemos ajudá-las a se reconectar com a vida, apesar do avanço lento de suas doenças e de uma gradual proximidade da morte.

Todos os pacientes entrevistados já tinham uma espécie de conhecimento intuitivo acerca do seu possível diagnóstico desfavorável, mas lidavam com isso de formas muito diferentes.

Alguns desejaram ardentemente saber a verdade, enquanto outros a evitaram o máximo possível. O que fez os nossos professores agirem de uma maneira ou de outra foi o fato de que cada história é única, e que essa história irrepetível se liga aos exemplos e referências que cada um tem na vida. Assim, fica evidente quanto é importante conhecer a história de vida dos pacientes e sua família antes de saber como se comunicar com eles. Nenhum protocolo de comunicação de más notícias vai ensinar a captar a singularidade de cada paciente ou como cada um gostaria de receber uma notícia ou aderir a determinado tratamento. Embora os protocolos tenham sua utilidade, sobretudo no treinamento de comunicação com os pacientes, eles não são suficientes para abarcar o conjunto de habilidades e competências necessárias à prática.

Nossos professores revelaram que precisavam ser reconhecidos como sujeitos de necessidades muito especiais, mas que também queriam ser vistos como pessoas que estão vivas e que têm condições de tocar a vida, apesar das crescentes perdas enfrentadas. Desse modo, valorizavam ações reabilitadoras, que os ajudassem a fechar a própria camisa ou a caminhar até o banheiro. Consideravam o alívio da dor algo realmente necessário, mas isso estava longe de ser suficiente para que se sentissem vivos de novo. Não basta apenas não ter dor; é preciso ter uma vida com significado.

Uma de nossas professoras revelou: "De que adianta se livrar da dor se as pessoas te tratam como se você estivesse morta?" Então, não é apenas o alívio da dor que mais importa, mas a experiência de *se sentir vivo*, e a vida é esse espaço que acontece entre a ausência de dor e a realização de uma vida com sentido e significado.

Desse modo, fica claro que essa modalidade de cuidados só pode ser oferecida com excelência em uma equipe multiprofissional, sem que um membro do grupo seja tido como mais importante que o outro, pois ninguém dá conta de tudo sozinho. Às vezes, é preciso pedir ajuda.

No decorrer dos anos, a área de cuidados paliativos ampliou-se e hoje ela atende o paciente desde o momento do diagnóstico de uma doença fatal. Trata-se de uma abordagem de cuidados e, portanto, de um tratamento, o que inclui uma série de medidas específicas, diversas dimensões a ser precisamente avaliadas e um conjunto de ações complexas a ser implementadas.

Disso tudo resulta o fato de que o indivíduo pode ter uma doença avançada, incurável, gravíssima, e ainda assim não receber nenhum cuidado paliativo. Essa modalidade de cuidados pode ser oferecida inclusive no curso do tratamento curativo de uma doença potencialmente curável, e auxiliar o paciente e sua família a lidar com o sofrimento com a ajuda de uma equipe multiprofissional, mesmo que o desfecho dessa história seja a cura. Por isso, há uma diferença entre os cuidados paliativos e os cuidados de fim de vida. Enquanto os primeiros podem ser oferecidos desde o momento do diagnóstico, os segundos se referem, na maioria das vezes, às últimas semanas ou aos últimos dias de vida.

No entanto, apesar da evolução do conceito de cuidados paliativos, é importante ressaltar que a principal função dessa modalidade de cuidados é ajudar as pessoas em seu processo de morrer e na sua confrontação com a morte, porque desconsiderar isso seria descaracterizar historicamente essa abordagem.

Em síntese: o que aprendemos com nossos seminários? São três pontos essenciais que nunca podemos esquecer: é essencial aprender com os próprios pacientes a melhor forma de cuidar deles; é necessário desenvolver habilidades para acessar os valores, a história de vida e o que faz sentido para cada paciente e sua família; e, por fim, devemos estar atentos a quem nos tornamos diante de cada uma dessas histórias. Assim, poderemos desenvolver recursos internos para permanecer ao lado dos pacientes e de sua família, descobrindo que essa experiência pode trazer um grande enriquecimento pessoal — e que talvez nos transforme para sempre.

Cuidar de uma pessoa diante da morte é um convite para visitar a história da vida de outra pessoa, o que nos permite refletir sobre as nossas histórias. Essas histórias de dor, de reconciliação, de cura e de amor são a herança mais preciosa que os pacientes podem nos deixar, pois aprendemos que nunca é tarde para fazer mudanças e nos conectar com o que confere sentido e valor à existência. Se aproveitarmos as lições deixadas por eles, quando chegar a nossa hora de deixar este mundo poderemos, quem sabe, olhar para trás e dizer: "Valeu a pena, eu realmente vivi".

Posfácio
Ensinar compaixão

Meu nome é Ana, sou médica, formada na década de 1990. Minha história na lida com a morte começou cedo, ao sabor da infância marcada pela presença da doença e do sofrimento. Minha avó materna, com diagnóstico de insuficiência vascular periférica grave, passou boa parte da vida pedindo misericórdia a Deus por tanto sofrimento causado pela dor insuportável em suas feridas nas pernas, decorrentes da falta de oxigenação dos tecidos, por obstrução de suas artérias. A doença a levou a ter as pernas amputadas, uma de cada vez. Mas, ao contrário do esperado, o procedimento cirúrgico não curou a sua dor, que permaneceu nas suas pernas invisíveis, acometendo o meu coração pequenino e jovem com o temor do diagnóstico final dela: dor fantasma. Uma mulher doce, dedicada, incansável no cuidado de todos à sua volta durante uma vida inteira. Até acamada ela manteve preservada essa mesma forma de cuidar, rezando e benzendo para a proteção contra os maus-tratos que a vida teimava em oferecer aos que ela amava, ou até para aqueles que ela não conhecia, mas queria bem mesmo assim. Então, ao ouvi-la pedindo a morte, segurei suas mãos e prometi: "Vó, eu vou ser médica, e vou fazer isso para cuidar da sua dor". Cumpri a primeira parte da promessa. Foi muito difícil terminar a faculdade, mas consegui. E, no dia da minha formatura, minha avó cumpriu sua missão. Ela morreu. Nós duas recebemos um diploma no mesmo dia — eu pela medicina, ela pela Vida.

Segui em tempos muito difíceis e hostis durante a formação, por não compreender a perspectiva insana e cruel do abandono de pessoas com doenças graves, incuráveis, em absoluto sofrimento, que só podiam ouvir dos médicos e dos profissionais de saúde em geral que não havia nada que fazer por elas. Como não haveria o que fazer com o sofrimento de pessoas no fim da vida?

Sem resposta, segui em frente. Por algum motivo, acreditei que existia, sim, muito que fazer pelas pessoas de que eu cuidaria como médica, algo que fosse muito além de apenas contemplar seu sofrimento. Decidi pela residência médica em Geriatria e Gerontologia, já prevendo que seriam os pacientes que iam me ensinar sobre a morte e o morrer, com o olhar de quem caminhou pela vida e foi ensinado a viver um tempo longo sob a ameaça das doenças, das sequelas e das limitações que o envelhecimento é capaz de proporcionar a todos os que recebem a companhia do tempo por muito tempo.

Então, cabe aqui esclarecer por que fui convidada a estar neste livro. Quando eu tinha cerca de 25 anos, fui apresentada à doutora Elisabeth Kübler-Ross por uma linda amiga enfermeira, que me deu de presente o tesouro *Sobre a morte e o morrer*. Desde aquela noite, quando li o livro de um só fôlego, eu caminho sobre o tempo de saber o que fazer. Elisabeth conversou comigo a cada frase, ensinando que, em primeiro lugar, eu precisava me lembrar do motivo pelo qual decidi ser médica, do caminho que escolhi ao tomar essa decisão. Um convite para manter a consciência atenta ao propósito maior: cuidar. Era como se ela me dissesse com sua voz doce: "Ana, o paciente está aqui, na sua frente, para ser conduzido ao espaço de felicidade possível dentro da vida dele. A história dele é um valor inestimável, então esteja atenta a tudo que ele escolher contar para você. Serão palavras e frases, mas para além delas haverá muitas pistas e orientações de como você pode ajudá-lo a chegar no espaço mais sagrado da vida e preencher esse tempo com felicidade. Felicidade de se sentir pleno com sua história, sua vida, seu legado, sua coragem e seu amor".

Cada página que li naquela noite ressoou como este convite de consciência: cuide. E, para cuidar, o primeiro passo é direcionar o olhar. Não para a doença, nem para os exames laboratoriais ou de imagem. Devemos utilizar esses recursos, mas apenas para ampliar a consciência sobre nosso papel na vida da pessoa que precisa dos nossos cuidados. Olhar nos olhos da pessoa adoecida, em primeiro lugar. Manter o foco atencioso e leal no paciente e perceber o que de fato importa para ele. Olhando nos olhos do paciente, você percebe que ele é muito maior do que sua doença, tem uma ideia da grandiosidade daquele ser humano. Às vezes, o que vemos é tão grande que é preciso fazer perguntas com um sentimento de urgência. Mas é imprescindível não fazer perguntas sufocantes. Já as perguntas abertas têm grande poder: favorecem a criação. Não no sentido de inventar respostas agradáveis aos outros, mas a criação de um caminho próximo e autêntico para a própria pessoa que vive e constrói dia a dia a experiência de seu tempo de morrer. Essa construção diária só acontece quando ela encontra as respostas dentro de si — respostas que sempre estiveram ali, mas não haviam sido descobertas. Saber fazer perguntas só pode ser aprendido por aqueles que sabem olhar. Pois quem sabe olhar sabe perguntar.

Olhar, perguntar. E ouvir. Ouvir como você gostaria de ser ouvido é a única parte da experiência de adoecimento que pode ser compartilhada entre o ser humano que cuida e o que recebe cuidado. O tempo que dispensarão um para o outro é exatamente o mesmo — se eu lhe dou 15 minutos do meu tempo, terei 15 minutos do seu tempo. A conta é matemática. Mas, em termos de conteúdo que preenche esse tempo, falamos de escuta. Eu sou ouvida e posso ouvir. E essas capacidades deveriam ser treinadas para que a nossa escuta prevaleça sobre a nossa fala, sobretudo quando se trata de cuidar de pessoas em final de vida. Aquele que morre não tem tempo para desperdiçar com a nossa necessidade de discursar, ameaçar ou exercer poder sobre ele. Somos nós que precisamos saber ouvir. Não com o pensamento simultâneo de resolução ou interpretação do que está sendo dito, mas com o corpo inteiro, com a alma, com a existência. Ouvir como se a nossa vida também dependesse disso. O sentido dessa vida de que você cuida pode depender da sua capacidade de ouvir o que ela tem a dizer sobre o que é importante para ela.

E, então, devemos receber aquilo que o paciente diz e seu sofrimento como um presente. Sentir gratidão por essa confiança já nos leva a um espaço mais amplo de sabedoria sobre o cuidar. Às vezes, pode ser um presente pesado, bem embrulhado, soterrado por muita dor e medo. E o nosso papel será conduzir esse presente recebido na escuta até os nossos próprios tesouros. Chega então a hora de olharmos para nosso ser, nossa humanidade, nosso conhecimento técnico, nossos recursos disponíveis. E com cada um destes recursos abrir o presente entregue pelo paciente.

Muitas vezes, queremos ajudar uma pessoa nessas condições, mas como não sabemos o que fazer decidimos nos colocar no lugar dela para experimentar seu sofrimento. Isso é empatia. Um passo necessário, sem dúvida, mas que não pode nos equilibrar. Escolher parar na empatia seria como se andássemos na corda bamba e decidíssemos percorrê-la pulando num pé só. Equilibrar-nos apenas na percepção do sofrimento que não nos pertence é algo impossível de ser sustentado. Leva a um cansaço emocional extremo, à fadiga de empatia. Por isso, é imprescindível perceber a importância desse momento — receber o sofrimento descrito como um presente e separar nossas ferramentas para abri-lo. E então agir. A ação é a base da transformação da realidade. Ação que acontece quando adquirimos consciência do nosso papel como quem cuida. A revolução acontece quando nos damos conta de tudo o que temos e somos para exercer a prática do cuidado. Agimos então pelo alívio do sofrimento, buscando proporcionar ao paciente e a sua família a possibilidade de exercer felicidade na sua história. Isso é compaixão. Isso é o que aprendo todos os dias desde que Elisabeth Kübler-Ross me ensinou a olhar e ver. A ouvir e escutar.

É por isso que este livro é tão especial. Ele mostra os ensinamentos de Elisabeth na prática contemporânea do cuidado. Ao possibilitar aos profissionais de saúde entrar em contato com a verdadeira essência dos pacientes, ajuda a divulgar um trabalho importantíssimo na formação de seres humanos capazes de acolher a dor e de ajudar outros seres humanos a ressignificá-la.

Esta obra concretiza o que aprendi com Elisabeth 25 anos atrás. Os sete passos a seguir são uma síntese do cuidado que transforma:

1 Manter a consciência de quem você é e do que faz diante da pessoa que sofre.

2 Olhar nos olhos dela — reconhecer sua grandeza e sua coragem e expressar quem você é ao ser visto por ela.

3 Fazer perguntas abertas — "como você se sente diante de tudo o que tem vivido?", "o que deseja me dizer?", "como posso te ajudar a ser feliz?"

4 Ouvir — abdicar da escuta interna de suas teorias e certezas. Ouvir com o corpo inteiro, com a alma, sempre.

5 Aceitar o que é dito e guardar como um presente.

6 Olhar para si, para seus conhecimentos, habilidades e competências. Olhar para sua humanidade e reconhecer tudo que você tem, sabe e é.

7 Agir. Agir firme e delicadamente com o propósito de aliviar o sofrimento da pessoa de quem você cuida.

Desde que li o que Elisabeth escreveu naquele livro, eu me tornei instrumento de suas palavras. E, desde então, hoje e em todos os dias da minha vida nesta dimensão, aprendo e ensino a compaixão — com paixão, com amor. E aspiro que, com a leitura desta obra, você possa sentir o mesmo.

Ana Cláudia Quintana Arantes
Médica formada pela Universidade de São Paulo (USP), é pós-graduada em Psicologia e especialista em Cuidados Paliativos. É autora da obra *A morte é um dia que vale a pena viver*

Referências

1. Kübler-Ross, E. "The dying patient as teacher: an experiment and an experience". *The Chicago Theological Seminary Register*, v. LVII, n. 3, dez. 1966, p. 1-14.
2. Wainwrigth, L. "A profound lesson for the living". *Life Magazine*, v. 67, n. 21, nov. 1969, p. 36-46.
3. Kübler-Ross, E. *Sobre a morte e o morrer: o que os doentes terminais têm para ensinar a médicos, enfermeiras, religiosos e aos seus próprios parentes.* São Paulo: Martins Fontes, 2017.
4. Kübler-Ross, E. *A roda da vida: memórias do viver e do morrer.* São Paulo: Sextante, 2011.
5. Saunders, C. "A salute of our common humanity". In: Welch, F. S.; Winters, R.; Ross, K. *Tea with Elisabeth: tributes to hospice pioneer dr. Elisabeth Kübler-Ross.* Flórida: Quality of Life Publishing, 2009, p. 32-34.
6. Kübler-Ross, E. "Unfinished business and how you know that you know". In: Ellison, K. P.; Weingast, M. *Awake at the bedside: contemplative teachings on palliative and end-of-life care.* Nova York: Wisdom, 2016.
7. Berry, S. *Não apresse o rio (ele corre sozinho).* São Paulo: Summus, 1973.
8. Weisman, A. *On dying and denying.* Nova York: Behavioral Publications, 1971.
9. Breitbart, W. S. *Meaning-centered psychotherapy in the cancer setting: finding meaning and hope in the face of suffering.* Nova York: Oxford University Press, 2017.
10. Lindemann, E. "The symptomatology and management of acute grief". *American Journal of Psychiatry*, n. 101, 1944, p. 141-48.
11. Freud, S. "A dinâmica da transferência". In: *Edição standard das obras completas de Sigmund Freud.* Rio de Janeiro: Imago, 1976, p. 129-43.
12. Heidegger, M. *Ser e tempo.* Campinas: Ed. da Unicamp; Petrópolis: Vozes, 2012.
13. Stroebe, M.; Schut, H. "The dual process model of bereavement: rationale and description". *Death Studies*, v. 23, 1999, p. 197-224.
14. Hugo, V. *Os miseráveis.* São Paulo: Cosac & Naify, 2012.

Agradecimentos

Aos filhos de Elisabeth Kübler-Ross, Ken e Barbara, somos gratos pela oportunidade e pela confiança que nos foram dadas de representar o legado de sua mãe no Brasil. A Micheline Etkin, Denise Monti e Danielle Monte, por ser nossa ponte luminosa com o futuro, aproximando-nos da família Ross e facilitando a chegada da Fundação Elisabeth Kübler-Ross ao Brasil.

À equipe da diretoria do capítulo brasileiro da Fundação Elisabeth Kübler-Ross, pelo apoio, incentivo, presença e cuidado com nossas atividades e pelos sonhos construídos em conjunto. A Clarissa Valdez, por ser um dos pilares fundacionais da nossa família; a Edna Moreira, por sua luta, coragem e doçura; a Ana Rosa Airão, por sua espiritualidade, leveza e esperança; a Ana Cláudia Quintana Arantes, por nos abrir as portas do coração e humildemente dividir conosco a experiência e o amor de sua jornada; a Larissa Rocha Lupi, por nos ensinar o caminho do arco-íris após a tempestade; a Jéssica Peixoto, por dividir sua sabedoria, ajudando-nos a não esquecer o que de fato importa nesta vida; a Adriana Pitella Sudré, por sua expertise na arte de criar conexões baseadas no amor, e não no medo; a Sandro Lindoso Soares, por nos ajudar a ler a vida com um equilíbrio sagrado entre a generosidade e a cautela.

A Marcia Balata, nossa amiga e administradora, por ser um elo poderoso com o nosso passado e o nosso futuro, ajudando-nos a organizar o nosso presente.

A todos os que enfrentam o desafio de lidar com a morte e o morrer no dia a dia; e aos professores e profissionais que vieram antes de nós e foram verdadeiros pioneiros nessa área de atuação no Brasil. Também somos gratos aos pacientes que nos deram a honra de nos conceder entrevistas com finalidades didáticas: nunca esqueceremos as lições que eles nos deixaram.

Por fim, mas não menos importante, não poderíamos deixar de mencionar nossas preciosas famílias. Começamos agradecendo a Vanda, mãezinha de Daniela, que sempre acreditou nela. A seus filhos, Rafael, Guilherme e Nina, por representarem o amor incondicional e a inspiração para nos tornarmos melhores a cada dia. A Gustavo, seu marido, que embarcou nessa jornada conosco desde o início, apoiando-nos sempre, com muito amor e disponibilidade. Também agradecemos a Sérgio, pai de Rodrigo, por continuar sendo um colo amoroso e disponível, e Valéria, mãe de Rodrigo, por ser um exemplo de como viver uma vida de acordo com os seus valores, fiel ao próprio coração. Agradecemos a todos os nossos familiares, avós, primos e tios, irmãos e sobrinhos, assim como aos nossos amigos, por terem compreendido a necessidade de muitas horas dedicadas à elaboração deste livro, em detrimento do tempo em que não ficamos juntos. Somos gratos por todo o amor e por todo o afeto, sentimentos que nos fazem ser quem somos e nos ajudam a nos lembrar quem não podemos deixar de ser. Com nosso amor incondicional,

DADÁ E RÔ

www.gruposummus.com.br

IMPRESSO NA
sumago gráfica editorial ltda
rua itauna, 789 vila maria
02111-031 são paulo sp
tel e fax 11 **2955 5636**
sumago@sumago.com.br

GRÁFICA
sumago